漢湘文化
閱讀新視界 · 生活新主張

漢湘文化

閱讀新視界・生活新主張

漢湘文化
閱讀新視界・生活新主張

漢湘文化
閱讀新視界・生活新主張

歷史經典九

唐浩明 著

曾國藩黑雨

卷(三)

出版者序

「曾國藩」一書分血祭、野焚、黑雨三卷，是一部百餘萬字的長篇歷史小說。作者唐浩明先生研究清史十餘年，蒐集的資料堆滿家中書房，對曾國藩及太平天國歷史的考究尤爲深刻。作者以輕鬆的筆調，用小說的方式撰寫此書，內容符合史實，其中人物的刻畫與描寫，生動而傳神，充分發揮了作者的文學才華與史學功力。

此書以曾國藩爲主軸，寫他治軍行事的用人方針，也寫他的處世哲學與人生觀，以清末衆多的歷史人物如朝中大臣——如胡林翼、左宗棠、李鴻章……等爲軸，交織此一長篇鉅著，書中情節的發展，絲絲入扣，能吸引讀者不斷產生興趣，愛不釋卷。

曾國藩是影響清末歷史的一位重要人物，他創造湘軍，以捍衞孔孟名教爲號召，弭平洪揚。其立身行事，爲後代諸多知名人氏所推崇。但作者也藉書中人物表達了歷年來人們的另一種觀點：曾國藩平定太平天國後，囿於忠君敬上，保全已身之小節，自剪羽翼，裁撤二十萬湘軍，無視滿清腐敗、生靈塗炭、救國救民之大義，辜負億萬百姓期望驅除羶腥，恢復神州之熱望，徒讓史冊留下一樁憾事。當然，對歷史的評價，有見仁見智之看法，端視讀者從何種角度去研判！或許當讀者閱覽此書時，對書中之主角會有不同之評論。

此書在大陸出版時，曾造成搶購熱潮，本公司取得台灣版權後，以繁體字印行，也引起熱烈回響。今再版出書，又經細校，期望達到無錯字的地步，或仍有疏漏，尚祈讀者不吝指正。

胡明威

曾國藩血祭、野焚、黑雨簡介

曾國藩是中國近代史上有巨大影響的人物。從李鴻章、張之洞到袁世凱、蔣介石，無不對其頂禮膜拜，尊爲「聖哲」；從梁啓超、陳獨秀，到毛澤東，也無不表示推崇師法，毛澤東甚至說：「愚於近人，獨服曾文正，觀其收拾洪楊一役，完滿無缺。使以今人易其位，其能如彼之完滿乎？」簡直推崇備至。

本書是長篇歷史小說，作者唐浩明爲著名的曾國藩研究者，佔有大量珍貴歷史資料，並在史實的基礎上，對事件描述、情節細部作了恰當的虛構，使曾國藩這個長期被當代歷史忽略的重要人物，重現在讀者面前。

本書既寫曾國藩的文韜武略，也寫他的待人處世與生活態度。曾國藩制勝的兵法、治軍行政的方針，他獨特的人生觀、處世哲學，他的文化素養和人格品味等等，都在書中得到精采的體現。

本書氣魄恢宏，人物衆多，歷史事件交錯，既有金戈鐵馬浴血之戰，也有坐而論道的儒雅，既寫他的困厄與成功，也寫他的得寵與失寵，細節豐富，情景感人。

歷史小說難得，好的歷史小說更難得，好的長篇歷史小說更難得，讀畢此書，當有得益。

目錄

〈卷一〉

〈卷二〉

第四章　名毀津門

第七章　黑雨滂沱

十三　遺囑念完後，黑雨傾盆而下……………………………… 209

第六章　東下巡視

一　水師守備栽在揚州媒婆的手裏

刺殺馬新貽一案辦得完美無缺，朝廷甚是滿意，上諭嘉獎：曾國藩、魁玉、鄭敦謹、張之萬、梅啓照等人都交部優敍。鄭敦謹打馬回朝，江寧藩庫又拿出兩千兩銀子來作爲程儀奉送，馬家也來道賀，衆人都很高興，唯獨曾國藩心裏總覺不踏實。

曾國藩不再多過問兩江庶務，不僅是因爲他身體實在太衰弱，力不從心，更主要的是教案給他的刺激太深了，他心裏非常清楚，津案以賠款殺同胞爲結局，名義上是他的委曲求全，是他的拼卻聲名，以顧大局，其實是朝廷，是整個中國的委曲求全，是爲了求得暫時的安寧而不惜丟掉了國家和民族的尊嚴，漢唐强國大邦的形象已在世界各國面前蕩然無存了。之所以弄到這般地步，就是因爲國勢頹弱。中國在與洋人打交道的過程中，能做到不受委屈，平等相處，不只是靠道理的充足，關鍵在於國力的强盛。要徐圖自强！曾國藩立誓以自己的餘生致力於早在十年前便已開創的「師夷智以制夷」的事業。這既是中國走上强盛的必經之路，同時，他也要以自己的實在有效的行動，在國人面前證明他不是賣國者，而是目光遠大、腳踏實地爲國爲民的實踐家，使那些自詡愛國，其實不負責任，未有任何實際作爲的清議派羞愧！

這些年來，除曾國藩外，朝廷大臣如奕訢、文祥，地方上的督撫如李鴻章、左宗棠、沈葆楨、丁日昌等人，都對「師夷制夷」之事感興趣，相繼辦起了上海炸彈三局、蘇州機器局、金陵機器局、福州船政局、天津機器局、蘭州機器局等軍用工廠，費餉浩大，成效均不甚顯著，引起了以奕譞、倭仁爲代表的親貴和元老重臣的反對，雙方論爭時都言辭激烈，態度强硬。西太后傾向於自辦洋務，故奕訢、文祥這一派略占上風。

李鴻章是在封疆大吏中倡導洋務最力者。他精力充沛，辦事精明，與洋人關係密切。他在辦洋務中成績最顯著。金陵製造局是他一手辦起的，天津製造局是在他的倡導下辦的，福州船政局遇到阻力時，他竭力爲之說話。由安慶遷到上海的江南機器製造總局，在李鴻章任江督期間得到了很大的發展，他親手批准將廠址由狹窄的虹口遷到開闊的城南高昌廟鎮。現在的江南機器製造總局爲全國最大的軍火輪船生產之地，不愧它的總局稱號，的確起了總領天津、南京、福州、蘭州各局的作用。這些，都使該局的督辦人容閎、楊國棟分外感激。曾國藩決定先到上海去視察江南機器製造總局，給他們以鼓勵推動，並幫助他們解決一些實際困難。

這是一個秋高氣爽的艷陽天，曾國藩帶著他的心腹幕僚趙烈文和得意門生黎庶昌、薛福成、吳汝綸等人，興致很好地踏上了停泊在下關碼頭江面上的威靖號輪船，楊國棟、徐壽、華蘅芳、李善蘭等人在船上恭迎。五十多歲的楊國棟精神旺盛。這些年來，他是容閎的得力助手，聰明才智得到了充分的發揮。徐壽、華蘅芳更是找到了一個足以施展本事的大舞台。他們與容閎合作得很是融洽，彼此都有一種崇高的使命感，都意識到自己所從事的是一個使中國走上徐圖自強的前無古人的偉業。

「雪村，我這是第三次坐你造的船了，眞是一次比一次舒服。」威靖號劈波斬浪，在清亮的江面上飛速前進，曾國藩坐在臨窗鋪著雪白洋布的小桌邊，笑著對徐壽說。第一次是同治三年六月，曾國荃攻下江寧後幾天，曾國藩由安慶坐黃鵠號前去江寧。「黃鵠」二字由曾國藩親自命名，他把它比作一隻健翮凌空的黃鵠，這是中國人造的第一艘由蒸汽機發動的輪船。第二次在同治七年赴直隸前夕，容閎駕駛江南製造局造的恬吉號來到江寧，曾國藩坐著它從江寧到采石磯，又從采石磯返回江寧。一年來，江南局又陸續新造四艘輪船，曾國藩分別給它們命名爲威靖、惠吉、操江、測海。

「我記得老中堂第一次坐黃鵠號時，熱得中途換民船，故造恬吉號時，特別考慮到通風設施。第二次，老中堂坐恬吉號時說，不熱了，也快了，就是顚簸太厲害。這次造威靖號、惠吉號時，又特別注意行駛的平穩。」徐壽高興地回憶曾國藩三次坐船的感受，作爲這幾艘船的主要設計者，他實際上是在欣賞自己造船技術的一步步提高。

黎庶昌有意打趣說：「雪村兄，你忘記了，第二次老中堂是冬天坐恬吉號的，當然不熱了！」

「哪裏的話！」徐壽一本正經地說，「老中堂九月十六日登上恬吉號，那天天氣反常地熱，大家都只穿一件單長衫，二公子給老中堂帶了一件坎肩，老中堂都沒穿，怎麼變成冬天了。」

看著徐壽這副認眞的神態，大家都哈哈大笑起來。薛福成說，「雪村記得好清楚呀！」

「怎麼能不記得呢？」徐壽將眼鏡取下來，用絨布擦著鏡片，滿懷感情地說：「人的一生，能有幾個這樣的好日子？不怕大家見笑，我三個兒子的生日我一個都記不得，但由安慶到上海所造的六艘船，哪一艘哪天下水試航，我都記得清清楚楚。我想國棟，壬叔、若汀他們的心情也跟我差不多。」

「我比你强些。」華蘅芳豪放地說：「我兒子的生日我也記得。」

吳汝綸調皮地說：「還有你太太的生日你也記得。」

說得大家都大笑起來。

「當然記得。」華蘅芳爽快地承認，「不過，你們都不知道，我太太跟我同月同日生。」

「難怪！」好幾個人異口同聲地說。

威靖號上洋溢著歡快的氣氛。船上擺上了滿桌中西兩式點心，又給每人沖了一杯咖啡，曾國藩不喝咖啡，船工給他另泡了一碗茶。船上的客廳寬敞明亮，船行快速平穩，碗裏的茶水時時變換著直線或曲線波紋，卻沒有一滴濺出碗外。遠處，田舍村莊轉瞬即逝，近處，張掛著巨大風帆的木船被遠遠地擠在兩旁，頭上包著青布的船老大們，望著滾滾揚起的江浪，無可奈何地搖頭嘆氣。曾國藩猛然想起那年九江南門碼頭上，胡林翼被洋船氣得吐血的慘景，心裏又酸楚又欣慰。「潤芝，假若你能活到今天就好了！」他在心裏輕輕地說。

「雪村。」曾國藩對徐壽說，「你帶著我們從頭到尾看看吧！」

「好哇！」徐壽高興地說，「只是甲板上風大，怕中堂大人受不了。」

「風大不要緊，加件衣服就行了。」曾國藩邊說邊走出船艙，大家都跟在他後面。

威靖號全身刷著白漆，在陽光的照耀和江水的映照下熠熠發光，威風十足，猶如一個銀袍白馬將軍在奔馳向前。曾國藩披上一件楊國棟帶來的暗紅色哈拉呢洋裝大衣，靠著一尊黝黑大炮，問楊國棟：「船上一共安了多少座炮？」

「共配火炮二十六尊。」楊國棟答，「船頭安放了十尊，船尾安放了六尊，兩邊各安放了五尊，都是六十四磅的重炮。」

「操江、測海、惠吉的炮力是如何配備的？」曾國藩又問。

「那三艘要比威靖號小些，炮也配得少些。」楊國棟摸著傲視藍天的炮身，如數家珍地滙報，「操江配了二十四尊，船頭十尊，船尾六尊，兩邊各四尊。測海配了二十尊，船頭八尊、船尾六尊，兩邊各三尊。惠吉配了二十二尊，船頭比測海多了兩尊，其他一樣。」

曾國藩聽完後起身，扶著船舷邊的鐵鏈，邁著大步向船尾走去，一直不說話，大家都默默地跟著，到了船尾，他抬頭問徐壽：「雪村，威靖號大概有二十丈長吧！」

「哎呀，老中堂，你眞是神人，猜得很準，威靖號的精確長度是二十丈五尺。」徐壽興奮地說。

「哪裏是猜！」曾國藩微笑著說，「我是用腳步量出來的，我走六步爲九尺，走了一百三十二步，估計在二十丈左右。」

大家聽了很覺驚奇。華蘅芳問：「老中堂，你平時走路都這樣嗎？」

「我從道光二十三年跟著鏡海先生讀『朱子全書』以來，便爲自己的行坐起居制定了一套規矩，二十多年裏，只要不生病，都基本遵守了。

眾人都佩服不已。曾國藩又問身邊的李善蘭：「這艘船有多大的馬力？」

「六百零五匹。」李善蘭答。

「能載得起多重的貨物？」

「二百萬斤。」

「抵得上四五十條民船了。」曾國藩輕輕地說。

江南風越來越大，大家都勸曾國藩進艙休息。曾國藩笑著對徐壽說：「我坐了你三次船，一次比一次好。這點我要表揚你們。不過，你三條船有一點都是一樣的，沒有變化，又使我不滿意。」

「老中堂是說哪一點沒有長進？」徐壽挺認眞地問。

「你看，」曾國藩用腳點了點艙板。「黃鵠號也好，恬吉號也好，這個威靖號也好，都是用木板製的。打起仗來，木板到底擋不住鐵炮彈，而洋人的炮艦全用鐵板製成。明年這時候，假若我還在世的話，我再坐一次你們造的船，但要是鐵殼船。你們造得出嗎？」

「我們一定努力造出，不辜負老中堂的期望。」徐壽思考一下後堅定地說。

申正時分威靖號來到鎭江城外。長江水師瓜州鎭總兵孫昌國帶著一批武官，早在江邊恭候，對岸鎭江知府丁田耕也早早地帶著一班僚屬在江邊等著，都要請曾國藩一行到自己的衙門休息。曾國藩打發趙烈文坐小船告訴丁田耕：「這次巡訪，一爲查看機器製造，一爲檢閱沿途軍事部署，暫不驚動府縣，請丁太守多多原諒。」於是，孫昌國高高興興地將威靖號上所有人員都請進了總兵衙門。

孫昌國和弟弟孫昌凱原是衡州城裏的鐵匠，與彭玉麟頗爲相得。後彭玉麟辦水師，孫昌國兄弟挑起洪爐入了水師，一直在後營中打造兵器。田家鎭一役火燒橫江鐵鎖，這對鐵匠兄弟立了大功，雙雙得到提拔，以後步步遷升。到了打下江寧後，兄弟二人分別被保至記名提督、記名總兵。整頓水師時，孫昌國被實授瓜州鎭總兵，孫昌凱在岳州鎭也當上了副將。孫昌國十分感激曾國藩、彭玉麟，難得有如此獻殷勤的機會，當天的接風酒席辦得極爲隆重豐盛，又連夜下令，所轄的鎭標四營，明早集合在江面上，接受曾國藩的檢閱。

吃完飯後，孫昌國又請曾國藩到他的小客廳裏喝茶，兩人敍談起衡州練軍、打武昌、打田家鎭的往事，都感慨不已。正說得興起，一個親兵走到孫昌國身邊說：「大人，前幾天那個人又來了，哭哭啼啼地求大人爲他作主，請卜守備放人，讓他夫妻團圓，還帶了一班子人爲他說話。」

「出去！這事以後再說，沒看見我在陪中堂大人說話嗎？」孫昌國沉下臉揮斥親兵。

「這是怎麼回事？說出來給我聽聽。」曾國藩卻不放鬆。他心裏想，這一定又是一起强占民女的案子。軍容要檢閱，軍紀尤其要過問。沒有嚴肅的軍紀，哪來的軍隊戰鬥力。而長江水師這些年來，恰恰就是紀律鬆弛，平時一再叮囑彭玉麟、黃翼升嚴加整飭，今天這事碰到頭上，怎能不管？

「老中堂，吃梨子。」孫昌國遞來一只親手削的水汪汪的碭山梨。「事情是這樣的。十天前，三營守備卜福元從揚州買了一個小妾。卜福元這人打仗勇敢，功勞立過不少。下江寧那年，皇上賞他副將銜，重建水師時補了個守備。這人事事都好，就是一點不好：喜貪女色。平時積的幾千兩銀子，女人身上花去了多半。老家寧鄉有個原配，他嫌人長得醜，年紀又大了，在這裏討了一個妾。這倒罷了。去年，他又看上一個比他小二十歲的女子，死纏活賴著那女子不放。那女子的父母貪財，硬是以五百兩銀子把女兒賣給他了。這女子原來是有主的，她過門後，總牽念未成親的夫婿，吵吵鬧鬧折騰半年後跳河自殺了。卜福元人財兩空。這次又買了一個十八九歲的小妾，說是只用了三百兩銀子。卜福元占了便宜，心裏得意。誰知還不滿半個月，就有十來個人跑到三營駐地，向參將牛虎告狀，說卜福元拐騙人妻，其中一個出來證明，那女子原是他的妻子。牛虎把卜福元帶到我這裏，我訓了他一頓。卜福元一再申明他是花三百兩銀子買來的，一文錢都不短欠，決不是拐騙的，還說可以到揚州去找到那個媒婆。我說，好吧，快去把媒婆找來。今天他來赴宴，我忘記問他了，不料這伙人又來吵了。這個卜福元眞是多事。」

「你打發人去把卜福元叫來。」曾國藩說。

一會兒，四十餘歲、矮矮胖胖的守備卜福元進來了。他對曾國藩、孫昌國鞠了一躬，問：

「老中堂和孫軍門叫卑職來有何吩咐？」

「卜胖子。」孫昌國一臉不高興。「那一伙子人又來了，你曉得不？」

「又來了？」卜福元臉上流露出一絲驚慌，「卑職不知道。」

「我問你，你昨天去揚州找到那個媒婆沒有？」孫昌國板著臉問。

「沒有。」卜福元的回答很輕，滿臉沮喪。

「我說卜胖子呀！」孫昌國站起來，走到卜福元身邊，拍拍他的肩膀，兩眼笑成一條縫。「你我都是多年的老兄弟了，曾中堂也不是外人，你說實話，那個小女人是如何拐騙來的？說清楚了，還給她丈夫，我也不責怪你，想必曾中堂也會原諒。」

曾國藩聽了很不好受：這孫昌國就是這樣帶兵管部下的？難怪這幾年朝野上下對長江水師

嘖有煩言。他繃緊臉嚴肅地問：「卜福元，你要在本督面前講淸楚，倘若扯謊，軍法不容！」

「曾中堂，孫軍門，寃枉啦，寃枉！」卜福元雙膝跪下，委屈地分辯：「卑職的確是用三百兩銀子買來的，在揚州張甲橋一個房子裏，一手交錢，一手牽人。媒婆是個五十多歲的老婦人，我記得她臉上還有幾點白痲子。」

「人沒找到，那間房子應當可以找到。」曾國藩追問。

「說來也怪。」卜福元摸摸禿了一半的腦袋頂，惶惑地說，「我明明記得那間房子是空的，誰知昨天去的時候，卻變成一個紙馬店了。附近的人都說，這裏從來沒有一個長白痲子的老婦人，這間紙馬店已開六十年了，父傳子、子傳孫，這是第三代。卑職奈何不得，但卑職可以在老中堂和孫軍門面前賭個咒，倘若有半句假話，雷打火燒，活不到五十歲！」說罷居然流出幾滴眼淚來。

「你看你，還像個堂堂男子漢不？」孫昌國走上前，一把將卜福元拉起，說，「孫哥我相信你，叫幾個兄弟把那伙子人轟走算了。」

「慢點。」曾國藩制止道，「他說你拐了他的婆娘，你說你用三百兩銀子買的，他有許多人爲他說話，你無人替你作證，單單憑刀槍轟走，他是不會甘心的。」

「老中堂，那你說怎麼辦？要麼，卜胖子，你把那女人給他算了。」孫昌國沒主意了。

正在這時薛福成走了進來，說：「剛才聽親兵說起卜守備的事，我想，卜守備莫不是給放鷹的人騙了？」

「什麼是放鷹？」卜福元和孫昌國驚得兩眼發呆，曾國藩也從沒聽說過。

薛福成說：「我小時聽父親說過，揚州城裏有專門放鷹的人，男女結合坑害人。他們從外地用低價買來貧苦人家的女子，調教一番，然後高價賣給有錢人做妾。待買主交了錢，帶走人後，多則十天半月，少則三五天，便有一男子帶著一伙人尋上門來，聲言此女子是他的婆娘，被拐騙了，那女子也就又哭又鬧，說來的人是她的丈夫，要跟著走。買主說有字據有媒人，但媒人再也找不到了，字據也便成了廢紙。跟著來的人都證明這女人是某某的妻子，並揚言扭之送官。買主無法，只得放人；有膽小的，還另送一筆錢，以求息事。這就叫作放鷹。前些年鬧長毛，這事絕迹了，想不到又死灰復燃。」

曾國藩聽後，心裏很覺慚愧。自己身爲兩江總督，對江寧不到二百里地的這種怪事一無所聞，眞正是尸位素餐。從這件事上，他又想到兩江境內一定還有許多弊病陋習，自己一點都不知道。「唉，說什麼整頓兩江，移風易俗，竟是空話一句！」他在心裏對先前的雄心壯志自我嘲弄著。

「好哇，這批狗娘養的，放鷹竟敢放到老子水師的頭上來了，來人！」孫昌國氣得大發雷霆，「給老子把那幾個龜孫子抓起來，交給揚州府發落，叫他們順藤摸瓜，把揚州城裏放鷹的狗男女全部殺掉！」

進來的親兵答應一聲，立即就要出去抓人。

「孫鎮台！」曾國藩客氣地叫了一聲。他對孫昌國辦事的果斷乾脆，以及順藤摸瓜的主意很是讚賞，但他很快想到，放鷹者敲榨的對象只能是普通百姓，到長江水師的軍營重地來撒野，能有這樣大的膽量嗎？他叫孫昌國坐下，說，「先莫忙著抓人，把事情弄清楚再說。」轉過臉對親兵說，「你去把那個找妻子的男人叫進來，態度要和氣點，莫嚇著他了。」又吩咐跪在地上的卜福元也出去。

那人被帶進來了，他見上面坐的除總兵外，還有一位鬢髮斑白的老頭子，心知是一個比總兵還大的官，便雙膝跪下，說：「求兩位大人替小的作主，把小的女人還給小的帶回去。」

「抬起頭來！」曾國藩命令。

那人順從地抬起頭。曾國藩仔細地看了一眼，和藹地說：「卜守備的妾，爲何是你的女人，你細細地說出來，不可說假話，懂嗎？」

「是。」那人不敢正眼看大官，又低下頭來，眼睛望著地面說，「小的是江都人，在一個飯莊裏當伙計，名叫蒯興家。三個月前，我帶著妻子杜氏到仙女廟進香。杜氏過門兩年了還沒生育，老母著急，催我們夫妻求仙女保佑。那天仙女廟的人很多，進完香後已是午時，我叫杜氏坐在一棵樟樹下休息，我去買幾個火燒來充飢。待我買來火燒時，樟樹下卻不見了我的妻子。我急得四處尋找喊叫，把整個仙女廟都找遍了，再也找不到她。我回家後向老板請了長假，背起包袱雨傘四方尋訪，下定決心，今生不尋著杜氏，寧死也不回家。半個月前我來到瓜州鎮，落在一個小伙鋪裏，向伙鋪老板打聽，問見沒見到一個二十歲左右的外地女子在附近出沒。店老板說，此地水師一個守備，前些日子在揚州買了一個小妾，那女子買來後成天哭哭啼啼的，不肯依從。小的一聽，心想這一定是我的妻子，她被人拐賣了。我在守備家轉了兩天，偶爾一次在小窗口看到一個梳頭的年輕女子。我又喜又悲，這正是我苦命的妻子。」

說到這裏，蒯興家禁不住哭了起來，停了片刻，又說：「我當時想馬上就去找守備要人，轉而一想，他是軍官，又是花錢買的，我一個普通老百姓，怎能拗得過他？於是回家和叔伯兄弟們一起商量。他們說，哪有眼睜睜看到自己的老婆做人妾的道理，不管怎樣也要弄回來。他們爲了給我壯膽，都一起來了。先找到卜守備，卜守備說他是花了三百兩銀子從揚州媒婆那裏買來的，硬是不肯放人。無法，我們只得向孫大人告狀。孫大人要卜守備到揚州城裏把那媒婆找來，不知現在找到沒有？請青天大老爺給小的作主，把小的老婆斷回給小的。」

說完，蒯興家用衣袖抹去眼淚，又連連磕頭。曾國藩察言觀色，見蒯興家模樣長得也還忠厚，說話合情理又懇切，心想：這大概不是放鷹的人。便說：「這好辦，我問你一句，你答一句，是不是你的妻子，我自然從你的回答中可以看出。」

蒯興家忙說：「求青天大老爺發問。」

「你妻子是哪地方人？何年何月何時生？在娘家喚個什麼名字？誰做的媒？」

「我妻子也是江都人，小杜家村的，咸豐二年十月二十一日子時生，在娘家小名叫翠葉。翠葉的娘舅是我的表叔，大媒便是他。」

「好吧，你下去！」曾國藩揮揮手，又對親兵說：「叫卜守備進來。」

「卜福元，你買妾時，知道她的生庚八字嗎？」曾國藩問進門來的卜守備。

「媒婆說是咸豐四年六月初一日卯時所生，今年十八歲。」卜福元答。

「妾買回來後，你再問過她嗎？」

「孫鎮合，你派輛馬車去，趕快把卜守備的如夫人接來，我要親自問她。」曾國藩對孫昌國說。

「我問過，她不肯講。」

「好，我這就去派人。」看得出，孫昌國對審理此事興趣很大。

半個時辰後，一個瘦弱憔悴的青年女子被帶了進來，她羞澀地跪下低頭，不做聲。

「卜姨太，我問你幾句話，你不要害怕，如實回答。」曾國藩以素日少見的溫婉語氣輕柔地說。他對這女子充滿著同情心，不管是不是那飯莊伙計的妻子，她都是不幸的可憐的。

「卜守備將你從揚州城裏買來，有這事嗎？」

那女子點點頭，依舊不作聲。「你要開口說話，慢慢講，講不好不要緊，我不怪你。」曾國藩給她鼓氣。「我再問你，你是哪地方人，爲何遭媒婆所賣？」

那女子未曾開口，先已雙淚直流，過一會兒，索性嚶嚶哭了起來，似有滿腹委屈，滿腹辛酸。

「哭什麼，有話好好說。」孫昌國煩起來，「婦道人家就是這樣討厭！」

曾國藩勸道：「不要哭，你按我所問的回答。」

那女子抽抽搭搭地哭了半天才止住淚，輕聲細語地說：「小女子是江都縣小杜家村人，兩年前出嫁，丈夫叫蒯興家。三個月前，我和丈夫在仙女廟進香。後來丈夫去買吃食，我在樹下坐著等他。過會兒，一個男子匆匆忙忙走到我身邊，說：『你丈夫在路上被馬車壓斷了腳，現在被抬在一個醫師家裏，他要我來叫你去。』我一聽，急得暈了頭，忙說：『好心的大哥，煩你帶我去看他。』那男子說：『我帶你去。』我當時來不及細想，糊里糊塗上了車，就這樣被拉到揚州城，方知受騙了。我哭乾了眼淚，喊啞了嗓子，在裏屋關了幾天後，一個長著白痲子的老婦人把我接出來。那痲婦人對我很關心，說是替我慢慢找丈夫。在她那裏住了兩個月後，誰料把我賣到這裏來了。」

曾國藩聽後心裏有了八成，於是又問：「你今年多大了？什麼時辰生的？在娘家喚個什麼小名？」

那女子答：「小女子今天整整二十歲，咸豐二年十月二十一日子時生，娘家姓杜，小名喚作翠葉。」

一切都眞相大白！杜翠葉被放鷹的人拐騙賣出，但買主是水師的守備，他們不敢來尋事生非，尋上門來的是她的眞正丈夫。

翠葉被帶出去後，曾國藩把卜福元又叫了進來，對他說：「本督已審問清楚了，你買的姨太太的確是蒯興家的妻子，你放了她回去，讓他們夫妻團聚吧！」

卜福元鼓著腮幫，鼻孔一扇一扇地出粗氣。

「老弟！」孫昌國拍了一下卜福元的光腦門。「她不肯從你，成天哭哭鬧鬧的，有何趣味！放了她，以後再買一個依從的，只是要注意，再莫上放鷹人的當。」

說完，自個兒哈哈大笑起來。卜福元又鼓了兩下腮幫，半天才說：「放了那個小婆娘我不心疼，只是我三百兩銀子丟到水裏去了。」

「嗨！男子漢大丈夫，有臉說這個話？」孫昌國一拳打在卜福元的肩上。「三百兩銀子算什麼？以後看上了哪個，孫哥我替你買！」

卜福元這才鬆開嘴巴，露出兩顆大虎牙笑了。

蒯興家帶著妻子杜翠葉進來，對著曾國藩、孫昌國行大禮，千恩萬謝，說來世變牛變馬，報答今生大恩。曾國藩說：「蒯興家，你也不用謝我，你給我辦一件事，你辦好了，就算感謝了。」

「什麼事，大人只管吩咐，哪怕是取虎膽，我都會拼著命去幹！」

「不要你取虎膽。」曾國藩微笑著說，「你去揚州城秘密調查，三個月內把那個賣你妻子的痳臉媒婆查出來，然後到江寧城裏兩江總督衙門來找我。本督要把她抓起來，替你們夫妻報仇。」

「啊，您就是兩江總督曾大人！」蒯興家忙又磕頭。「小的眞是三生有幸得遇大人，小的一定要把那個害人的妖精婆找出來，爲小的夫妻，也爲所有被害人報仇。」

一種多年未曾有過的喜悅之情湧上曾國藩的心頭，他覺得唯有今天自己才像兩江總督的樣子。他設想在抓到媒婆後，也要親自審訊，就像當年在長沙審訊匪盜一樣，從這個人身上打開缺口，再將揚州城裏所有放鷹的賊男女全部捕獲，爲首的剜目凌遲，協從的一律杖責三百大板，充軍伊犁，並借此事來一場雷厲風行的大掃蕩，將兩江三省內的所有汚濁蕩除乾淨。這一夜，曾國藩睡得很甜很美。

第二天，在孫昌國的陪同下，曾國藩檢閱了瓜州鎭標四營。只見戰船擺列得整整齊齊，甲冑也還鮮明，在令旗導引下，水手們駕駛著戰船列出各種陣式來。炮子打在水面上，激起沖天水花，喊殺之聲，驚得江鷗遠遠逃走。看起來還蠻像個樣子。曾國藩稱讚了幾句，孫昌國得意至極。威靖號鳴笛起航時，他叫人匆匆抬了十筐碭山梨送到船上，說是送給各位沿途解渴，曾國藩想制止也來不及了。

二　英國傳教士傅蘭雅送了一件時髦禮物

威靖號一路順風到了上海。下船後，曾國藩一行在楊國棟等人帶領下，避開上海官場的應酬，逕直來到高昌廟江南機器製造總局。會辦容閎率領一班高級職員在大門口恭迎，當晚下榻在總局驛館裏。

第二天上午，當上海道台兼製造局總辦秦世泰急急趕來的時候，曾國藩已在容閎、楊國棟、徐壽、華蘅芳等人陪同下，登上了停泊在輪船廠船塢的測海號。在測海號船上走走看看以後，又上了操江號，然後又登上惠吉號。曾國藩對這幾艘戰船的興趣最大，再次勉勵容閎盡快造出鐵殼戰船來，又說中國若有五十艘鐵甲戰船，就敢於在江海上與洋人一爭高下，國力也就强盛了。幾句話，說得衆人心裏暖乎乎的。曾國藩又問容閎：「造鐵甲船有困難嗎？經費夠不夠？」

容閎答：「鐵甲船需要大量鋼板，我們自己的煉鋼廠還沒有建起來，要從洋人手裏買。技術上也會有相當大的困難。我們打算先從小的造起，有經驗後再造大的。」

「好！」曾國藩打斷他的話。「製造局今後自己建一個煉鋼廠，目前先買些鋼板來。」

「我們也是這樣想的。」容閎說，「至於經費，眼下尚可應付。前年老中堂奏請在撥留洋稅二成中，以一成爲專造輪船之用，從那以後輪船廠有了一筆專款。蒸汽機由機器廠製造，鍋爐由鍋爐廠製造，我想明年造一個小鐵甲船出來，雖有困難，咬緊牙關或許可以做到。」

「要有這個志氣。」曾國藩讚許道，「從前九帥打江寧時，艱難困苦比你們造鐵甲船要大多了。我那時鼓勵他，天下事有所逼有所激而成者居其半。洋人欺侮我們，這就是在逼我們激我們，我們一定要趕快造出堅船利炮，自强自興，把這口氣爭過來！」

看完輪船廠後，曾國藩來到機器廠。這裏的大部分工作母機是容閎從美國買回來的。這兩年依靠這些母機，又製造了許多專造槍炮的機器。容閎興致勃勃地指著各種機器，向曾國藩一一介紹，又如數家珍地向他稟報：五年來，機器廠製造了車床三十八台，刨床七台，鑽床五台，鋸床一台，抽水機三台，滾炮彈機一台，絞螺絲機一台，汽爐五台，拌藥機一台，碾藥機一台……

「好啦，好啦。」曾國藩笑著截斷容閎滔滔不絕的介紹。「這個機，那個機，說得我滿腦子亂糟糟的，也記不得這麼多，你乾脆寫個帖子，把這些年來江南機器製造局做了哪些事，一一寫明，交給惠甫。」

從機器廠出來後，容閎把曾國藩一行帶進了槍炮裝配廠。從各個分廠裏造出的槍炮零部件，在這裏裝配成形。看到這裏堆積了數千支洋槍、數十座鐵炮和上萬顆炮彈時，曾國藩大爲興奮。他一會兒摸摸炮筒，一會兒又拿起一支洋槍。

「這幾年造了多少槍炮？」曾國藩問身邊的容閎。

「一共造了六千四百多支槍，七十八座炮，二十萬顆炮彈。」

「成績不小哇，純甫。」曾國藩禁不住大聲讚揚起來。「都供應了哪些軍隊？」

「槍枝南運江督標親兵營、蘇撫標護軍營、吳淞外海水師、長江水師、北運神機營、山海關行營等等。炮供應各炮台所需，如江陰、象山、焦山、都天廟、吳淞、下關、威海衞等地。還有一個重要的去處，老中堂猜猜。」容閎說得高興起來，彷彿如小時候得了一次意外的好處，喜得要母親和他共享愉快一樣，居然叫曾國藩來猜謎了。

曾國藩也讓他說得很興奮，隨口答道：「我猜不出。」

「老中堂，我告訴您！」容閎咧開大嘴笑道，「威靖、惠吉兩艘船上四十八門大炮全是敝局所造！」

「不錯！不錯！」曾國藩連聲讚道，「再造出幾十門好炮來，把操江、測海兩船上的炮也全部換成貴局的。到時我去請恭王、文大人他們南下上海來檢閱，看看從船到炮都是我們中國造的戰艦。」

「那太好了，明年就可以改裝。」容閎激動地說。

「純甫！」停了一會，曾國藩語重心長地說，「中國有座古長城，是用磚石建造的，歷史上它起著抵禦夷狄侵犯的重大作用。現在，磚石長城已不起作用了，需要建一座新的長城，它要靠槍炮戰船來建造。江南機器局便是建造這座長城的總工廠。純甫，你想想看，你身上的擔子有多重！」

「是的，老中堂說得對，未來中國的長城，要靠槍炮戰船來建造，卑職能爲國家造船製炮，無比自豪，無比光榮。卑職一定盡職盡忠，決不負太后、皇上和老中堂的重託！」

曾國藩滿意地點點頭，突然瞥見窗外匆匆走過一位碧眼金髮的外國人，遂問容閎：「機器局裏雇了幾個洋匠？」

「目前負責技術指導的有八位洋匠，爲頭的是美國人科爾和史蒂文生。」

「科爾就是原來旗記鐵廠的老板嗎？」曾國藩問。

「正是。」容閎答，「當年買下科爾的鐵廠，共用去六萬兩銀子，其中四萬兩是海關通事唐國華出的，他藉此報效贖罪，另二萬兩由海關道籌借。」

曾國藩感嘆地說，「買下這個鐵廠，並將局址由虹口移到高昌廟，這的確是機器局興旺發達的一個轉折點，這是少荃爲今日中國所立的一大功勞。」

「除開高昌廟外，還買下了陳家巷、龍華兩處地皮。李中堂說，今後還要建煉鋼廠，建大倉庫，要地方。」

「少荃是個當家辦事的人，他想得遠。」對於李鴻章任江督期間所給予江南機器局的強有力的支持，無論從個人私情，還是從國家利益上，曾國藩對他都是感激的，也由此看出了他遠遠高於一般疆吏的識見和才幹。

「機器廠、造船廠、鍋爐廠、翻譯館，都是在李中堂手裏建成的，共花去六十萬兩銀子，有一半是李中堂從軍費裏開支。故有人說，李中堂今後會把機器局變爲淮軍的軍火廠，否則他不會下這麼大的本錢。」容閎對李鴻章的敢作敢爲一向佩服，但對他聚斂財富、任用私人一套又很反感，而對眼前這位年高德劭的老中堂，他則是欽敬得五體投地。在容閎的眼裏，曾國藩是一座巍巍崑崙，獨立於這個時代，任何其他人都不能和他比擬。

曾國藩淡淡一笑：「把淮軍裝備好也是好事，平息捻亂還不是靠淮軍作主力？」

容閎沒有做聲。這時楊國棟帶著一批工匠過來，笑嘻嘻地對曾國藩說：「大人，這些人是我從廣東請來的匠師，他們從未見過您，硬吵著要我帶來見見。」

「拜見中堂大人！」楊國棟身邊十幾個匠師們一齊喊道。

「各位先生免禮。」曾國藩滿臉笑容地對工匠們說，「我是一個糟老頭子，沒有什麼看頭，你們都是機器局的功臣，爲國家作出了很大的貢獻，我是特來看你們的。」

「曾中堂偉大！」一個在香港多年的中年匠師翹起大拇指，模仿洋人的口氣稱讚。更多的匠師在曾國藩的面前都顯得又激動又局促，感到手足無處放。一個黑髮藍眼白皮膚的青年匠師大膽地衝出來，伸出雙手握起曾國藩的手，唬得趙烈文、吳汝綸以及一旁的戈什哈忙圍過來。曾國藩毫不介意地與青年匠師拉起手，和藹地問：「你是中國人還是外國人？」

青年匠師臉刷地紅起來，不好意思地說：「我父親是廣東人，母親是英國人。」

「怪不得你的眼睛是藍色的。」曾國藩快活地說。

楊國棟走過來說：「大人，他前年才回國，在英國生活十多年，養成了洋人的習氣，見人就拉手，請大人原諒他不懂禮儀。」

「拉拉手也好，還顯得親切些。」曾國藩又轉臉對青年匠師說，「你在英國生活十多年，英文一定很好，你要把英文教給他們！」說著，用手指了指四周的匠師們。

青年匠師高興地點了點頭。曾國藩環顧四周，大聲說：「各位先生，明天中午由我作東，請大家來驛館裏共飲幾杯，我們好好敍談敍談如何？」

「謝謝老中堂！」衆人大出意外，紛紛向曾國藩鞠躬致謝。

待匠師們走後，曾國藩對容閎說：「明天中午宴請中國匠師，晚上，你代我把科爾、史蒂文生等洋匠，還有翻譯館裏的傅蘭雅先生都請來，叫驛館準備兩桌好蘇菜，我借花獻佛，也請他們一次。」

「太好了！」容閎歡喜雀躍。

晚上，容閎陪著科爾、史蒂文生、傅蘭雅以及另外幾名洋匠喜氣洋洋地走進了機器局驛館。曾國藩特地換了一件紺色壽字團花夾緞長袍，頭戴一頂黑呢嵌藍寶石瓜皮帽，鄭重其事地在客廳裏接見他們。當容閎介紹到傅蘭雅的時候，曾國藩特地將這位藍眼栗髮、高大魁梧的翻譯家仔細地看了一眼，然後微笑著說：「久仰！先生所譯的書對中國船炮製造起了很大的作用。原以爲先生總在五十歲上下，想不到竟這樣年輕。有三十歲嗎？」

傅蘭雅以流利的中國話說：「謝謝中堂的誇獎，我不年輕了，今年三十二足歲了。」

「年輕，年輕，還是旭日方升的年華。」曾國藩一邊笑著與傅蘭雅談話，一邊招呼客人們坐下。

侍役獻茶畢，曾國藩端起茶碗對客人們說：「這是敝人家鄉的洞庭君山毛尖，各位請嚐嚐。」

說罷自己先喝一口。衆人都輕輕地端起茶托。學中國士大夫的樣子，將碗蓋略微移開一點點，右手捂著蓋子，淺淺地抿了一口，然後將茶碗連托一起輕輕放回原處，異口同聲讚揚：「好！」傅蘭雅又補充一句，「中國的茶比咖啡、可可都要好喝！」

曾國藩一一詢問客人們，什麼時候來中國的，生活習慣不，薪水夠不夠花。這些洋人的中國話大半都說得不流暢，有的只簡單答了幾個字，有的用英語回答，再由容閎翻譯，只有傅蘭雅可以對應如流。他於是代表衆人說：「老中堂能於萬機之暇來江南機器局視察，並特爲接見在局任職的外籍匠師，各人都感受到了中國政府的關懷。機器局對我們很照顧，建有專門公館，薪水在中國匠師的十倍以上，生活也還習慣，這裏有做西餐的廚師。不過，大家都說中國的飯菜更好吃。」

一句話，說得衆人都笑了起來。曾國藩起身，伸出右手說：「那好，今天就請各位嚐嚐蘇州名廚的手藝！」

以講究色澤艷麗、用料甜軟出名的蘇菜，早已令外國人垂涎，而今晚這兩桌酒席更是琳琅滿目，美不勝收。如果說中國的科學技術在當時已遠遠落後於歐美各國的話，那麼積數千年聰明又會享受者的才智所創造出來的華夏飲食文化，卻當之無愧地名列世界之首，令洋人們在滿桌珍饈面前自愧不如，給一向以萬邦來儀自詡的天朝士大夫們贏得了臉上的光彩，似乎可以抵消一部分來自戰場和談判桌上的恥辱。

桌上的每道菜都有一個極富文化色彩的名字，如八戒遇難——紅燒豬肉、鯉躍龍門——清蒸鯉魚、蘇武牧羊——燉羊肉、衆星捧月——肉丸蒸蛋、孫猴出生——油燜猴頭、西施浣紗——波菜粉條湯、哪吒鬧海——炒鱔絲、丹鳳朝陽——清蒸全雞、雄獅酣睡——清蒸瘦肉團等等。當容閎一一爲洋朋友介紹菜譜時，這些遠方的客人無不爲中國的烹調藝術驚嘆不已，他們彷彿已經看到了五千年古老文化的大略。

「這道湯叫做仙姑逢舊友。」最後，容閎指著正中一個白胎青花鼓形瓷碗說。

「仙姑逢舊友？」洋人們對這道菜的命名感到莫名其妙。

「請問容會辦。」傅蘭雅代表大家問，「這是什麼意思，你能詳細告訴我們嗎？」

「好！」容閎微笑著說，「這是我國江浙一帶一道有名的素湯，它的主要用料爲蘑菇和香菇。兩種菇子混合用，湯味便格外的淸香爽口。蘑菇取新鮮的，又叫鮮菇。香菇用的是乾貨。因爲它們屬同綱同科，本是同類，於是鮮菇在這裏遇到了去年的老朋友，這不是仙姑逢舊友了嗎？」

衆人似乎尚未明白過來，中國通傅蘭雅已聽懂了，他興奮地說：「中國的語言眞妙不可言。『鮮』與『仙』音相近，『菇』與『姑』音相同，兩『仙姑』卻比『鮮菇』更討人喜歡。妙，妙極了！」

洋人們遂一齊笑起來。

曾國藩舉杯笑道：「諸位先生爲中國軍火輪船的建造立下了汗馬功勞，鄙人借這杯薄酒略表謝意，並懇切希望諸位先生把自己的智慧才能都發揮出來，造出更多更好的槍炮兵艦，大淸國的歷史豐碑將會銘刻各位的英名和功績。」

客人們全都舉杯，一飮而盡。

容閎頻頻向長期與他共事的洋匠們勸菜，大家吃得津津有味，讚不絕口。坐在曾國藩右手邊的傅蘭雅說：「曾中堂，您知道嗎，我是一個英國傳教士。」

「我知道。」曾國藩一直很少吃喝，只是象徵性地動動筷子。這時拿起手邊的餐巾，慢慢地擦著嘴唇，他對這個傳教士聞名已久，很想與他談談。

「曾中堂，去年在天津發生的事件，無論對貴國而言，還是對法國、英國、俄國等歐洲各國來說，都是一件不愉快的事。您奉貴國政府之命，處理這樣一件棘手的事情，的確很不容易。今天有這樣一個好機會，使我們能夠面對面交談，我很榮幸。恕我冒昧，能向中堂請教一些問題嗎？」學貫中西、舉止文雅的傳蘭雅身上，典型地體現了英國紳士的翩翩風度。他今年雖只三十多歲，卻翻譯了好幾部重要的科學著作，在西學東漸的過程中作出了卓越的貢獻，深受東西方學術界的推崇。

曾國藩對這位有眞才實學的洋人很是賞識。他點點頭，誠懇地說：「傳蘭雅先生，與您談話是一件很愉快的事情，您有什麼問題都可以提出來，我們一起商量。」

「謝謝。」傳蘭雅彬彬有禮地說，「請問曾中堂，您對教會是怎麼看的？」

曾國藩說：「去年天津發生的事情，至今仍使我心頭上如壓重石，誠如傳蘭雅先生所言，那的確是一件令中外都不愉快的事。」說到這裏，他停了下來，滿桌客人全都放下杯筷，傾耳聆聽。「耶穌教、天主教信奉上帝，猶如釋教普渡衆生、道教羽化登仙一樣，都以勸人爲善作爲宗旨，故可爲世人所接受。敝國對待教會的態度，傳蘭雅先生和諸位在坐的一定都淸楚，是採取包容態度的。早在世祖爺、聖祖爺時期，湯若望、南懷仁等傳教士便受到破格隆遇，到聖祖爺晚年時，全國已建教堂近三百座，受洗教徒近三十萬人。傳教士把先進的曆法引進我國，還協助朝廷測繪了《皇輿全覽圖》，做了不少好事。他們也尊重中國人的禮儀習俗，敬天法祖，彼此相處還算融洽。但可惜，後來教廷粗暴地干涉耶穌會在中國的傳教方式，而傳教士又極不應該插手皇嗣繼統大事，遂使得朝廷下決心明文禁教。近幾十年來，朝廷解除教禁，教會在中國內地大量傳播，中國信教的人也與日俱增。遺憾的是，不少傳教士仗著本國强大的軍事力量，在中國境內惹事生非。他們不遵守中國法度，强占土地，欺壓中國百姓。這樣，引起了中國人的普遍反感，不僅僅老百姓，連官吏士人也極不滿。去年天津發生的事情，直接導火線在迷拐幼童、挖眼剖心的傳聞，當然，這是荒唐無稽的，但眞正的原因，是長期蘊藏在中國百姓心中的不滿情緒。鄙人的態度，想必諸位都淸楚，對天津一部分莠民那種殺人毀堂，以至搗毀法國領事館、焚燒法國國旗的野蠻做法是堅決反對的，故而處決了十多個殺人凶手，賠償了五十萬兩銀子。於是鄙人便成了全國攻擊的目標，被罵爲漢奸賣國賊。鄙人現在已是聲名狼藉的人了。」

說到這裏，曾國藩苦笑了一聲，侍役遞上茶來，他喝了一小口，繼續說：「剛才傳蘭雅先生問鄙人對教會的態度。鄙人可以明確地說，那些仗勢欺人的傳教士，不能代表耶穌教、天主教，因爲耶穌教、天主教要人做善人，不做惡人。眞正的傳教士只會幫助中國人，而不會欺壓中國人。」

傅蘭雅的臉上露出欣喜的笑容，他帶頭鼓起掌來，科爾、史蒂文生等人也鼓掌，表示贊同。曾國藩微笑點頭致謝，又說下去：「好比傅蘭雅先生是英國的傳教士，他到我們中國來以後，幫助我們翻譯許多關於造炮製船的技術書籍，又把自己的學問傳授給中國人，我以爲這才是眞正信守教規、與人友善的傳教士。因而當去年津案發生後，對於不少人主張關閉教會，驅趕外國人出境的偏激言論，我是決不同意的。外國人中也有我們的好朋友，像科爾先生、史蒂文生先生，以及在座的各位先生，不辭辛苦，幫助機器局造了這麼多的槍炮子彈，又爲我們造的五艘戰艦出了很大的力，你們就是中國人的好朋友！」

又是一陣掌聲。科爾擧杯起身，用生硬的中國話說：「讓我們一起爲曾中堂乾杯！」

曾國藩站起，將杯子與大家的酒杯碰了一下。傅蘭雅情緒激動地說：「曾大人，您是中國了不起的人物，您對教會和傳教士的看法與我們完全一致，尤其是您能開明大度地接受西方的科學技術，胸懷博大地容納西方專家、腳踏實地地爲貴國的自强興辦工廠，製造船炮，您比那些頑固死硬的守舊派和夸夸其談的淸議者高明百倍千倍。」

對於這個英國傳教士、學者的友好講話，曾國藩報之以眞誠的笑容。眼前的傅蘭雅以及科爾、史蒂文生，與豐大業、羅淑亞都是洋人，對待中國的態度，卻有天壤之別。是的，人與人是不同的，中國人中有堯舜禹湯，也有共工蚩尤，有周公孔孟，也有管蔡盜跖。洋人也是人，他們中間理所當然地有善惡之別，有良莠之分！

「諸位先生，我昨天對容會辦下了死命令，要他在明年內造出一艘鐵甲兵艦來，這有很大的困難，還要仰仗諸位獻智獻力，攻克難關。」曾國藩說著起身，舉起酒杯說，「我在這裏預先向各位先生敬一杯謝酒！」

史蒂文生說：「一定盡力。」

科爾說：「輪船廠可以造得出。」

「這我就放心了。」曾國藩再次把酒杯舉了舉，「大家一起喝了吧。祝各位與容會辦他們精誠合作，讓鄙人有生之年能看到中國人造的鐵甲船航行在江海上！」

喝完這杯中酒後，滿臉通紅的傅蘭雅興沖沖地說：「謝中堂款待美意，我們幾個人也備了一件禮物，請中堂笑納。」說完對著門外喊，「仲芳，叫他們把東西抬進來！」

喊聲剛落，一個十八九歲的俊少年，邁著堅定有力的步伐從門外進來，對著曾國藩一鞠躬

：「卑職叩見老中堂大人！」

然後伸手向門口一招，只見四個工役抬著一個碩大無朋的圓球進來，圓球當中穿插一根鐵棒，鐵棒下端是一個大鐵板。圓球用白布做成，上面畫著許多彎彎曲曲的線條和圈圈點點。曾國藩的眼力已不濟事，他看了很久，沒有看出個名堂來。傅蘭雅說：「仲芳，你給曾中堂說說。」

仲芳走到圓球旁邊，對曾國藩說：「老中堂大人，這是製造局全體洋人朋友送給您的一件禮品，它叫地球儀。」邊說邊用手輕輕一撥，那球繞著鐵棒轉了起來。

地球儀！這眞是一件新鮮把戲，曾國藩過去沒有聽說過。

「洋人朋友聽說老中堂要來視察製造局，忙了幾天，由傅蘭雅先生指導，做成這個地球儀，全世界各國各地都在這個球上。」

曾國藩背手來到圓球旁，問：「中國在哪裏？」

「在這裏。老中堂請看。」仲芳把地球儀轉了半圈，熟練地找到了中國。

「上海呢？」曾國藩又問。

「這兒。」仲芳用手指在一個小黑點上。「這邊就是海了。」他邊說邊旋轉圓球，手指畫出了一條橫線。「穿過大海，就到了科爾先生和史蒂文生先生的家鄉——美國。」

曾國藩湊過臉去看了一眼。仲芳又用手指畫了一條線，落在一個曲線圈圈內，說：「老中堂請看，這就是傅蘭雅先生的家鄉——英國。」

曾國藩邊看心裏邊想：「好聰明的洋人，用一個球就把世界各國都包括進來了，要不了半天，各國的地理位置就會記得一清二楚。」本欲大大地稱讚一番，想一想，又把話噎了下去，只是淺淺地一笑，說：「謝謝各位，我收下了。」

仲芳指揮工役抬下去。正要出門時，傅蘭雅叫住了他。傅蘭雅走過來，笑吟吟地對曾國藩說：「曾中堂，我要向您推薦一個人才，這位聶仲芳先生今後一定可以成爲貴國一位大企業家，他很有經營管理的才幹。」

聶仲芳進門的舉止就已博得曾國藩的注意，這時又聽傅蘭雅如此稱讚，便和氣地問：「聶仲芳，你這樣輕的年紀，就受到傅蘭雅先生的賞識，不簡單呀！」

聶仲芳謙虛地回答：「這是傅蘭雅先生對年輕人的偏愛，我其實什麼能力都沒有，只是喜歡向傅蘭雅先生和其他各位洋先生請教。」

「年輕人好學好問，就是最大的優點，憑這一點，今後就前途可觀。」曾國藩望著這個年輕人，親切地問，「你是哪裏人，父親做什麼事？」

「卑職名叫聶緝槼，賤字仲芳，湖南衡山人，父親聶亦峯，在廣東高州做知府。」

「你是聶亦峯的公子？」曾國藩頗爲驚喜。

「老中堂認識家父？」聶仲芳吃了一驚。

「豈止認得，」曾國藩開朗地笑道，「你的父親和我是多年的老朋友了！」

「眞的？」聶仲芳乖覺地雙膝跪下，叩頭，「老伯受侄兒一拜。」

「起來，起來。」曾國藩樂道，「傅蘭雅先生說你有經營管理之才，我這個做老伯的心裏也高興，明天上午你到我這裏來聊聊，我要看看你跟著容會辦和各位洋先生學得怎樣？」

三　桐花萬里丹山路，雛風勝過老風聲

次日上午，聶緝槼來到驛館拜謁曾國藩。他知道老伯是位嚴謹的理學名臣，便脫去素日日常穿的西服，換上一套簇新的長袍馬褂，將備用的數據單從西式皮公文包裏取出，放進袖口夾層裏。這一身打扮果然使曾國藩見了更覺順眼。他自己則隨隨便便穿了一件舊布薄棉袍，斜斜地靠在鬆軟的藤椅上，完全是一副長者見晚輩的隨和姿態。

「你父親身體還好嗎？」曾國藩端起茶碗，慢慢地吹了一口氣。

「家父這兩年也常生病，精神還不如老伯您健旺。」聶緝槼端坐在對面一張絨布沙發上，茶几上放著一個精緻的白底藍花景德鎮瓷杯，他沒有想到要去動它。

「你父親比我小幾歲，功名不算太順遂。」曾國藩像是沉緬在對往事的回憶中，「他的詩做得比我好。人也長得清秀，有南岳才子之稱，爲人豪放灑脫，大家都喜歡和他交往。誰知科場蹭蹬，道光乙巳、丁未、庚戌一連三科都告罷，朋友們都爲他叫屈，他自己倒無事一樣。咸豐二年壬子科，他高中二甲第八名，衆人都以爲他必入翰林院無疑。朝考下來，他喜氣洋洋地把詩拿給我看。詩寫得眞好，旣有太白之才氣，又有館閣之莊重，場中詩少有做得這樣好的。誰料榜一公布，翰林竟沒有他的名。我爲他惋惜。他卻笑著說，當縣官也好，天高皇帝遠，我就是百里諸侯，平生才學都可以由我展布。仍舊是笑嘻嘻的，滿不在乎。仲芳，這就是你父親年輕時的性格。」

曾國藩近來喜歡回憶往事，也喜歡跟年輕人談往事。今天坐在對面的年輕人是個俊秀人才，而所談的又是他的父親、自己的同鄉老友，如此敍談往事，不啻人生一種享受！

「家父可能正因爲自恃才高，又對世事不在乎，才弄得做了二十年的官，至今仍只是一個從四品知府。」聶緝槼想到同是年齡相彷彿的老鄉，曾國藩已貴為大學士，而自己的父親卻屈沉下僚，心中很不是滋味。他本想奚落父親兩句，但那將有失人子之道，必會招致老伯的反感，便改為這樣兩句自認得體的話。

「你說對了一部分，但要害沒有抓住。」曾國藩緩慢地撫摸鬍鬚，心裏想說，人生的貧富窮通，吉凶壽夭，皆由命定，不由人力做主。轉念一想，這些話不能對後生晚輩講，那樣將會使他們失去上進之心，安於現狀，不思奮發。天命和人力之間的關係太複雜了，一個弱冠少年如何吃得深透！這必須在經歷過數十年風風雨雨、遭受過多少次失敗與成功之後，再回過頭來作一番細細的咀嚼，才可能有切身的體會。父兄教子弟，上司飭部屬，只能鼓勵其充分發揮人力的作用，知難而進，遇險不退，功可强成，名可强立，方可指望其有所造就。

「老伯，家父官運不濟的要害在哪裏？」聶緝槼是個要强的人，深為父親的宦途多艱而惋惜，卻不知其中緣故何在。曾國藩是個成功者的典範，又是父親的老友，他的一兩句指點，也可能是自己甚至包括父親幾年幾十年冥思苦想都悟不到的。

「你還年輕，說出來你一時也理解不了，哪年我跟你父親見面時，我們兩個老傢伙再去談吧！」曾國藩又端起茶碗。略一說話便舌端蹇澀的毛病，不但未見好轉，近來反而更甚了。

「仲芳，你爲何一人來到此地，幹起洋務來了?」這是曾國藩很感興趣的問題，他對聶亦峯異於常人的教子之方感到奇怪。自己雖然請人教紀澤、紀鴻的英文，也對紀鴻鑽研數學很支持，前幾年右目未失明時，夏夜裏常指著星空教兒女們識星座，但要把紀澤、紀鴻送到機器局來專攻洋務，這個決心總下不了，到底還是走中舉中進士點翰林的正途光彩得多。

「我是跟著姐丈來的。」

「你姐丈叫什麼名字?」

「他叫陳順發，廣東人，在造船廠當匠師，楊提調把他聘請來的，我於是也跟著姐丈到了機器局。」

「你父親同意嗎?」曾國藩的背離開藤椅，身子向前傾了幾寸。

「家父開始也不同意，說我剛中的秀才，要在家操習制藝，好考舉人進士，繼承家業。姐丈從小在香港長大，對世界局勢看得清楚，便來勸家父，說洋務是當今的新事業，最有前途，造炮製船是中國的必需，旣爲國家作貢獻，自己又學到眞本領，一輩子不愁沒飯吃。家母思想最開通，他也勸家父不要把中進士點翰林看得高於一切。還對家父說，你也是進士出身，至今不過一知府，若丟掉烏紗帽，什麼事都幹不了。仲芳學造槍炮輪船，今後爲國家立了大功，說不定皇上會賞他一個大官。家父見姐丈在廣東備受巡撫藩臬的器重，年薪比他高得多，又見我對學業不感興趣，一心想幹洋務，於是也同意了。我家兄弟多，繼承父業的人有的是。今日中國不缺官，當官的人多得很，我眞不願意去湊熱鬧。」聶緝槼說到這裏笑了一下，露出兩排雪白整齊的牙齒來，滿臉稚氣可掬，心地單純可愛。

曾國藩很喜歡，誇道：「你的選擇是對的，中國不缺翰林，也不缺官員，中國缺的是造炮製船的人才。好好幹，前途光明得很！」

聶緝槼受寵若驚，喜得臉孔紅通通的，燦若朝霞。

「桐花萬里丹山路，雛風勝過老風聲。」曾國藩心裏默默地唸著，他已從心裏喜歡眼前這個少年了。他一向認爲凡辦大事，以識爲主，以才爲輔，先不論其才具如何，單就這份見識來說，此人將來便有辦大事的可能。

「仲芳，傅蘭雅先生說你有經營管理之才，你對機器局的經營管理有些什麼看法，跟老伯我說說吧！」曾國藩慈愛地望著聶緝槼，似對他寄予極大的希望。

「老伯親手創辦的江南機器製造總局，是中國最大的船炮製造之地，它的地位和影響遠遠不是上海炸彈局、蘇州機器局、金陵機器局以及其他機器局所能比擬的。江南總局這些年來在老伯、李中堂以及容會辦、楊提調等人的領導下，取得了令人瞠目的成就，塡補了中國船炮製造的空白。它的豐功偉績，永遠彪炳史冊。」

聶緝槼滔滔不絕的恭維話，使曾國藩很滿意。「擅長言辭，頭腦敏捷」。他在心裏這樣估評著。

「江南總局本可以取得更大的成就，但諸多原因限制了它不能長足發展，其中最大的問題在經營管理方面。老伯，不是侄兒危言聳聽，這方面若無得力的改進措施，江南總局將不會越來越興旺，不久的一天，就有可能擋不住朝野內外的風言風語而停辦。」

曾國藩的眉頭微微一皺。這一瞬間，他想起了到趙家祠堂指出檄文瑕漏的王闓運，想起了寄居弘毅寺獻攻安慶之策的趙烈文，想起了上整飭江南八策的薛福成。初生牛犢不怕虎。這種朝氣銳氣是極其難能可貴的。不幸的是，古往今來，許許多多富有天才的少年，他們卓越的見識，常常被居高位掌大權的老資格們，輕易地以「狂妄」「淺薄」而加以否定，得不到應有的重視，導致數不清的天才埋沒、卓識冷落的人才悲劇。曾國藩經常以此自誡。他深知天下之大，事變至殷，決非一手一足所能維持，必須擧天下之才會於一，乃可平天下與國家的道理，因而把發現人才、奬掖人才、培育人才、重用人才作爲自己的分內任務。曾國藩於是以更加和悅的顏色對聶緝槼說：「江南總局有不少弊端，我也聽到了一些風言風語，你能有心觀察到，又能坦率地指出，這便是對總局的一大貢獻，我自會很重視。你不要有任何顧慮，什麼話都可以敞開說出來。」

得到鼓勵的聶緝槼勇氣更足了：「江南總局完全靠朝廷撥款，不能獨立經營。這幾年來，江海關撥出了洋稅以及籌撥一百九十八萬兩銀子，而各省送來總局輪船、槍炮修造費僅只二萬一千兩，總局生產出來的所有軍火船隻，都直接調軍營炮台，沒有收回一文錢。這在我們中國人看來，好像是天經地義的，在傅蘭雅先生他們看來，這完全不是辦廠的路子。」

曾國藩也覺新奇，朝廷出錢辦工廠，造出的槍炮調往朝廷管的軍營炮台，當然不能再收他們的錢，這不是明擺著的道理嗎，爲什麼不是辦廠的路子呢？他問聶緝槼：「你講講不對之處在哪裏？」

「傅蘭雅先生他們常說，西方人辦工作，要靠工廠以自己的力量來支持來發展，這樣，辦工廠的人才有興致。也就是說，造出的槍炮子彈、輪船機器，應該按價出售，工廠扣除成本後要有所盈利。江南總局是靠海關稅提成，稅收多，提成多，稅收少，提成少，造出的東西，不管好壞優劣，亦不在乎多少，都可交代。如此，接踵而來的是另外兩大弊病：一是質量差，數量少，式樣陳舊，二是浪費嚴重。」

聶緝槼講的辦廠的路子，曾國藩認爲不能改變，像洋人那樣要各軍營炮台用銀子來買軍火，目前在中國根本不可能實行，但質量差數量少和浪費嚴重兩大毛病，卻是必須糾正的。不過，在此之先，曾國藩決沒有想到，這種現象竟然來源於所謂的辦廠的路子不對。

「以槍枝爲例，科爾和傅蘭雅說，江南總局擁有工役一千餘人，造槍的人數有三成，設備也較齊全，經費不愁，西方這樣的軍火廠，每天可造二十支，而我們每天只能造三支。三支中必有一支調到軍營後，只能嚇嚇老百姓，不能開火射擊。現在西方各國都在大造後膛槍，我們仍在造老式的前膛槍，上月開始試造林明敦式後膛槍，而這種槍英、美等國已廢棄不用，他們在造毛瑟槍、必利槍和黎竟槍。至於說到江南總局的浪費，那更是驚人。容會辦、楊提調很心疼，但無力扭轉過來。我們造一支槍，需要工料成本十七兩四錢銀子，而從英、美軍火廠直接定購一支同樣的槍，只要十兩銀子就夠了。威靖號用去十二萬兩銀子，據傅蘭雅先生翻譯的外國報紙來看，造這樣大小的木板船，英國只需要十萬兩，美國只要九萬兩就行了。所以我擔心，有朝一日會有人提議，停辦江南總局，乾脆向洋人去買軍火兵艦算了。」

這些天來，曾國藩的頭腦被徐圖自强的美妙遠景弄得熱烘烘的，經聶緝槼這股冷風一吹，清醒了不少。他鄭重地說：「仲芳，你提出的這兩大弊病確實是大問題，若不設法解決，眞的會有停辦的一天。不過，江南總局決不能停辦，它是中國自强的希望所在。我們不能靠買洋人的軍火輪船過日子，一旦他們翻臉不賣怎麼辦？他們要挾勒索怎麼辦？何況，我們就只能永遠不如別人，永遠造不出比別人更好的槍炮兵船、炸藥子彈嗎？仲芳，你平時與傅蘭雅先生他們談過如何克服的辦法嗎？」

「他們說，若辦廠的根本路子不改變，這兩大弊病就不能指望克服。」聶緝槼低聲說。

曾國藩的臉色陡然陰沉下來。辦廠的根本路子，決不是他曾國藩能夠改變的，如此說來，江南機器製造總局就只能坐待它的停辦關閉嗎？中國徐圖自强的道路就走不通嗎？

「老伯不必憂鬱，事情是人辦的，解決的辦法總可以想得出來。」聶緝槼心中並無任何主意，他只是憑著一種少年不識愁滋味的心理迸出這樣兩句話。

然而，就是這樣兩句普普通通的話，使曾國藩大爲感嘆起來。他再一次意識到自己老了，不行了，顧慮多，憂愁多，當年那種不顧一切拚命向前的勇氣少了，膽量也小了，而辦大事正是需要聶緝槼這樣不畏艱難的後生輩，中興、自强靠的是他們！想到這裏，曾國藩將眼前這位年輕有爲的故人之子，上上下下地仔細打量了一番，猛然間，一個念頭在心中泛起。他慈愛地問：「仲芳，你父母給你定了親嗎？」

「沒有。」聶緝槼略帶羞容地搖了搖頭。

「哦！」曾國藩興奮地站起來，快活地在客廳裏踱了幾步，欲言又止。

聶緝槼莫名其妙地望著這位以威嚴凝重著稱的老伯，不明白自己沒有定親這件小事，何以給他帶來如此喜悅！這時，容閎推門進來了。

四　一個劃時代的建議

「純甫，你來得正好。」曾國藩招呼容閎，「仲芳跟我談了半天，關於機器局的管理方面，他有些很好的看法。我走之後，你們兩個人還可以再談談，然後和國棟、雪村、若汀他們一起商量商量，也聽聽科爾、史蒂文生、傅蘭雅等人的意見。下個月，你到江寧來一趟，把商量的結果告訴我。」

「機器局管理方面的問題，仲芳跟我談過多次，有些問題正在想辦法解決，但根本性的問題我們無能爲力。」容閎攤開雙手，顯出一種無可奈何的神態。「我今天一早到瑞生洋行去了。」

「瑞生洋行是哪個國家開的？」曾國藩問。

「德國商人辦的。」容閎答，「我告訴他們，明年的煤炭、木材不要他們代買了。」

「你們煤炭、木材也由外國買來？」曾國藩不悅地說，「進口鋼鐵、銅、鉛說得過去，中國的煤炭、木材還少嗎？爲何要買洋人的？」

「以前都用自己的，這是在馬制台手裏改的。他說，我們要求洋人賣機器賣鋼鐵，洋人要我們搭買煤炭、木材也不過分，做生意嘛，總要讓別人有些賺頭。秦道台滿口答應，就這樣定下來了。這幾年因洋煤洋木這兩宗，就多支付了二十五萬兩銀子。拿這筆錢造船的話，可以造出兩艘威靖號。我想從明年起不再買了，不料瑞生洋行說，秦道台早已簽了合同，明年照舊，不能更改了。」

「秦道台當然幫德國商人說話。」聶緝槼插話，「據說洋人賺一萬兩銀子，要分兩千兩給他。他這幾年利用江南局總辦的職權賺飽了。銀子究竟得了多少，我們弄不清楚，光西洋自鳴鐘，瑞生洋行就送給他七八座，客廳裏擺滿了洋貨。」

「也有人說，以前馬制台硬要我們買瑞生洋行的煤炭、木材，也是因爲瑞生給了他的好處。」容閎說。

「純甫，你去告訴瑞生洋行，就說我講的，秦世泰簽的合同不算數，我是江南局的督辦，以後與洋人的大宗買賣要由我簽字才行。」曾國藩氣憤地說。

「大人，這不合適。」容閎說，「以往都是由秦道台出面簽的，他簽字就算定了。洋人最講合同，我們現在提出廢除，他會叫我們賠償損失，那我們會更吃虧。」

曾國藩聽了作不得聲，心裏罵道，「好個以權謀私的秦世泰，非要撤他的職不可！」

「容會辦，瑞生洋行的事，話又得說回來。」聶緝槼說，「不買他的煤炭和木料，他就不會賣鋼鐵，轉而只得向英、美洋行去買。英、美的鋼鐵貴，質量還不如德國的好，兩相抵消也省了不少錢，關鍵是我們自己要開礦，要辦煉鋼廠，不過，這事怕也要在七八年之後了。」

「這是沒有辦法的事。」曾國藩心想，「所有這一切，都是因爲我們自己太落後了，家底太薄了，眼下只有吃些虧，忍辱負重，十年二十年後就好辦了。」

想到這一層，曾國藩略覺寬慰。他對容閎說：「瑞生洋行的買賣，你們再仔細權衡一下，我現在要跟你提另一件事。」

「什麼事？請大人指教。」容閎說。

「你要利用機器局的有利條件辦一個學校。」曾國藩嚴肅地說，「世上一切事都是人做出來的，有人才，才會有事業。國家要中興，要自强，就要開局辦廠，造機器，造軍火，造輪船，而這些都要人來做，要靠有血性有本事的人來做。人才不是天生的，靠的是教育培養。機器局有這麼多好匠師，又有翻譯館，譯了許多外國書報，具備了辦學校的良好條件。你這個當會辦的要把這事擺在第一位，選拔一些聰明好學的年輕人，聘請傅蘭雅教洋文，科爾、史蒂文生以及仲芳的姐丈等中國匠師教技術，雪村、壬叔、若汀教數學、化學，再要惠甫、叔耘講操守，講禮義廉恥，經過十年八年的教育，機器局就會有一大批品學兼優的專家，機器局豈有不興旺的道理！」

「老伯的指教太好了，學校開辦起來，我第一個報名。」聶緝槼喜形於色。

「你既當學生，又當先生，有些課也可以由你講。」曾國藩笑著說。

「學校一定辦。抓緊時間籌備，還要建幾間房子作校舍，力爭明年下半年辦起來，到時第一堂課請老中堂講。」容閎堅定地表態。

「行！」曾國藩興奮地說，「我的第一堂課就講臥薪嘗膽，徐圖自強。」

「大人，還有一件事，卑職心裏想了很久，因爲茲事體大，一直不敢輕易提出。」容閎神色莊重，看來是要談一件十分重要的大事。

「你說吧，我替你謀畫謀畫。」曾國藩鼓勵他。

「剛才老中堂提的開辦學校，培養人才，的確是大清王朝中興自强的百年大計。這是一個方面，即在國內造就人才。另一方面，我們還要派人去國外，向洋人學習。」

「純甫，你這個想法很好，很有價值。」曾國藩的左目射出多年來少見的灼灼神采，「很久前，我便有這個想法，只是這些年來先是忙於打長毛，打捻子，後來又是辦教案，辦馬案，就沒有再提這件事了。」

「是的，卑職記得十年前在安慶初次謁見老中堂時，您就說過這個話，卑職一直記在心裏。只是看到老中堂實在是忙得分不過身來，且又再未提起這事，恐怕老中堂又有別的想法，所以這些年不敢提。」

「你估計我會有些什麼別的想法呢？」曾國藩笑著問，他對容閎這句話很有興趣。

「因爲我自己有顧慮，也就怕老中堂有顧慮。」容閎坦率地說，「歷史上只有四夷遣使來華尋師請教，不見中國派人出去求學問道。如果提出派人出國拜洋人爲師，很可能便會有人以華夷有別、尊華攘夷等大道理來斥責，結果事情沒辦成，反倒招來惡名。卑職想老中堂後來之所以沒有再提，是不是也出自於這個顧慮。」

「你這個想法不是沒有道理的。」曾國藩嚴肅地說，「同治六年，恭王奏請在同文館裏增設天文算學館，聘請洋人執教，倭艮峯就堅決反對，責問恭王何必師事夷人。後來又有人因天旱上奏撤同文館，以弭天變而順人心。請洋人當教師都不同意，何況派人出國留學！顧慮有人反對，自然是一個原因，但也不是主要的，還有別的一些原因。」

曾國藩說著，端起茶碗輕輕地抿了一口，又說，「其實，我看那些人都是枉讀了聖人書。孔子云三人行必有我師，又說入太廟每事問。聖人虛心求教，原不以對方的身分地位爲轉移。洋人也是人，他有長處，我們就要學習；學到手後再超過他，制服他。魏默深師夷長技以制夷的話說得很深刻，我在咸豐十年就對皇上說過要師夷智以造炮製船。」

「既然老中堂沒有這個顧慮，卑職想派人出國，現在是時候了。派人出去，最好是派幼童。」

「派幼童？」曾國藩放下手中的茶碗，前傾著身子問，「你講講，爲什麼要派幼童？」

「卑職這個想法，是從我自己的切身經歷體會出來的。」容閎說，黝黑的臉龐上光彩照人。「派幼童出國，卑職以爲有這樣幾點好處。第一，人在小時最易學語言。我的英文流利，就得力於我七八歲時就跟著英國人學話，我到江寧也有六七年了，卻一句本地話都未學會。第二，在外國學習，與在國內學習大不相同。國內學的總是第二手的知識，在國外則可以系統地接受他們一整套關於天文曆算理化方面的教育，潛移默化，就能得其學問之精髓。第三，這批幼童在國外日久，眼界大開，並有可能接觸到他們造炮製船的各種現場，能看到他們所造出的最先進的船炮。那樣，我們就有可能迎頭趕上，而不至於年復一年地跟在別人屁股後面。第四，我對科爾、史蒂文生，甚至對傅蘭雅先生都始終抱有戒備心。我懷疑他們不會把最優秀的技術、最先進的器械介紹給我們。好比說，現在西方都在大量造黎竟新槍和必利新槍，而他們一直封鎖，瑞生洋行也不幫我們買。這個消息還是過去的友人來函告訴我的。老中堂，古人說，非我族類，其心必異。對洋人，尤其是對機器局的洋人固然要友好，但也不能完全依賴，盡管他們個人也可能想誠心誠意幫助我們發展軍火造船業，但他們的政府很可能在背地裏限制他們，害怕我們強盛。我們強盛得和他們一樣了，他們就賺不到我們的錢了。好比說，我們的礦產開發了，我們的鋼廠煉鋼了，瑞生洋行同機器局的大批生意就做不成了。我們的鐵甲艦隊建成了，我們的大炮威力比法國强了，羅淑亞就不可能威脅我們了，津案就完全可以聽任老中堂辦理了。」

容閎這段出自肺腑的話說到了曾國藩的心坎裏，也刺中了他心靈深處的最大隱痛。他撫摸鬍鬚的右手微微顫抖起來，嗓音也變得嘶啞：「純甫，不要再說下去了，這些我比你更清楚。派幼童出國之事，我會奏請，不過具體辦起來又有不少困難。第一便是這人員如何選派。你要知道，現在眞正的書香之家都巴望子弟走科擧正途，有幾個願去異域跟洋人讀書的？」

容閎沉思良久，說：「老中堂說得很對，目前風氣未開，要在內地，尤其是在京師官宦人家中尋覓合適人選，還是一件難事。不過在廣東，又特別是卑職的家鄉一帶則可以找得出。好比仲芳出身官宦之家，因爲父親長期在廣東爲官，他才能到機器局來。這就是風氣的影響。待老中堂奏請朝廷同意後，卑職將回廣東去親自考試選拔。」

「純甫，派幼童出洋留學，學成後回來報效國家，這是一個具有開創意義的建議，我將會盡全力支持，使它付諸實現。你看挑選多大年歲的幼童爲宜？」

「八九歲左右。」

「小了。」曾國藩說，「年紀太小，沒有自制能力，成天想父母想家，管理人員很麻煩。這尚是其次。關鍵是年紀過小，在外國住上十年八年後，就會數典忘祖，忘記了自己是一個中國人。沒有對君父的深厚感情，怎麼談得上今後的回國報效？」

「老伯顧慮的是。」聶緝槼插話。

「我看十四歲到十七歲之間的孩子最合適。」曾國藩拈鬚思考著，「到了這種年歲，既有獨立生活的能力，又把華夏學問精華基本掌握了，是一個定了型的中國人，不管走到哪裏，不管在異域呆多久，他都不會忘記自己是大清臣民……」

正說得興起，曾國藩忽覺一陣眩暈，接著便是張口結舌，不能完整地說出一句話來，再下去便是什麼都不知道了。慌得容閎、聶緝椝忙將他抬到床上，又派急足去請德國醫師。

德國醫師給曾國藩打針吃藥，一連忙了三天，才慢慢清醒過來。曾國藩記得，這種突然發作的眩暈病，已經是第二次出現了，而這次又勝過前次。他心裏很憂鬱。十四年前，他的父親就是死於此病。第二次發病時倒在禾坪里，抬回家後昏迷一天便過世了，也沒有給後人留下一句話。

曾國藩不能這樣。他深知自己肩負的擔子沉重，以及一身對世人的影響，許多事情需要他在生時交待清楚。他心裏有不少話，大至對國家興亡的看法，小到對往年在某人面前一次失禮的追悔，他都想跟自己的心腹僚屬、得意門生，以及三個弟弟兩個兒子作一番細細的詳談。六十年的人生歲月，三十年的宦海生涯，二十年的驚濤駭浪，將他鍛煉得對人世的一切洞若觀火，對天地滄桑了然在心，他覺得自己似乎已經進入了昔賢先哲所達到的超人境界。但可惜，在世之日卻不久了！他有一種油盡燈乾的感覺，他為此很悲哀，於是匆匆結束對江南機器製造總局的視察，乘測海號回到江寧，搬進剛剛復建完畢的兩江總督衙門。

第七章　黑雨滂沱

一　歐陽夫人擇婿的標準與丈夫不同

重建的兩江總督衙門，在李鴻章、馬新貽的規劃監督下，經過五年的經營，造得規模宏闊，氣派壯大。受禮制所限，它當然不可能與先前的天王宮相比，但比起咸豐二年時總督衙門來，擴大了三倍，豪華了十倍。尤其是西花園，基本上保持了洪秀全御花園的規格。爲著投曾國藩所好，新近又從紫金山移來數百株大大小小的竹子。竹枝秀勁，竹葉青翠，給滿是亭台樓閣、曲徑假山的花園平添無限生機，無限雅趣。

王荊七悄悄對監造總管說：「老中堂愛竹，尤愛洞庭湖君山上的斑竹。那年遊君山時，他撫摸著滿是黑點斑竹，出神了半天。」

總管聽後，趕忙派人去湖南採購，並吩咐裝一船君山泥土來，以便斑竹能更順利地在西花園裏成活紮根。

碧波蕩漾的人工湖面上，停泊著當年天王最喜愛的石舫。湖面大爲拓寬，石舫也就自然地被移到湖中。於是從岸邊到石舫之間，又架起一座九曲橋，橋的欄杆上飾滿彩繪。橋上有頂，頂上蓋著天藍色琉璃瓦。陽光照在瓦片上，反射出清清亮亮的光彩來，與藍天碧水融爲一色，和諧壯美，顯示出建築師的匠心。

曾國藩不止一次地感嘆：「太機巧了，太奢華了！天道忌巧，天道忌奢，還是樸實的好，世間唯有樸實最能長久。」他要總管在督署東面花圃邊開出幾塊菜地來，明春再種上青菜、辣椒、茄子、豆角等農家菜蔬，借以抵消幾分奢靡，又向僚屬示以不忘稼穡之本。

夫人歐陽氏臥病已三個月了，她素來體氣虛弱。從同治八年起與丈夫得了同樣的病：右目失明，左目僅見微光。天氣冷，搬進督署半個月了，她未走出門外一步。今天太陽出來了，天氣和暖，在滿女紀芬的陪同下，兩個同病相憐的老人一起來到西花園，沿著九曲橋慢慢地向石舫走去。

「滿姑你今年二十歲了，我和你娘還未給你定下婆家，你心裏有怨氣嗎？」一家三口在石舫裏的木凳上坐下後，曾國藩望著長得厚厚敦敦，酷肖其母的滿女，憐愛地問。

「父親，看您老說的！我這一輩子不嫁人，在家伺候兩位老人。」紀芬羞得滿臉通紅，扭過臉去，望著石舫外枯乾的黑黃色的荷葉杆。其實，紀芬心裏怎會不著急？但急有什麼用，總不能自己去找婆家吧！她生性開朗，又會體貼人，說願意在家伺候父母，也並非假話。她見父親今天心裏舒暢，主動談起她的婚事，高興極了。

從她懂事起，就從來沒有看見父親空閑過、舒暢過。幾個姐姐的婚事，她從來沒有聽見父親提起過，就那樣一個一個地嫁出去了。別的大官家嫁女，吹吹打打熱熱鬧鬧，酒席擺幾百桌，裝嫁妝的抬盒連綿一兩里路長。都說自己的父親是湖南最大的官，在紀芬的眼裏，幾個姐姐的出嫁，不僅從沒風光過，反而寒傖得很，送親那天的娘家人中，又照例沒有父親到場！父親一生太忙太累了，好不容易才有這麼一刻家人閑聊的光陰。女兒都有這樣一番感慨，作妻子的感慨就更多了。

結縭三十六年來，歐陽夫人一直對丈夫敬重愛戴。過去在京師，丈夫忙是忙，但一家人沒有分開。自生下紀芬後，這二十年來一家拆散，夫妻在一起的時間少，分別的日子多。歐陽夫人既爲丈夫的功業自豪，又對夫妻長期不能團聚而深有絕望。今天丈夫能有這樣的興致，她又高興又微覺詫異。

「傻丫頭，哪有一輩子不出嫁的道理！我們兩個老的歸天了呢？」歐陽夫人笑著對女兒說，「滿姑，你不知道，你父親爲你的婚事著急得很哩！他五年前就在留意了，一直想著要給你尋一個最好的郎君。」

紀芬羞得低下頭。歐陽夫人摸著女兒柔軟的黑髮，滿腹疼愛地說：「公婆愛頭孫，爹娘疼滿崽。你是父母的滿嬌嬌，七個兄妹中，我看你父親最疼的就是你，常說你長得一副阿彌陀佛相，將來福壽最好，所以要替你找一個人品好、學問好、家境好、公婆好、體質好的五好夫婿。」

「這樣事事都好的人，到哪裏去找呀！」紀芬噗哧一聲笑了起來，嬌甜地望著母親。

知夫莫如妻。歐陽夫人說的正是曾國藩心思。這些年來，他爲已嫁的四個女兒的婚事負疚深重。四個女婿都是他作主定的，四個女兒的家庭都不美滿。大女婿袁秉楨放蕩凶暴，致使大女兒三十歲便去世，活生生又添一個白髮人送黑髮人的慘例。二女婿陳遠濟幼時聰明，長大後卻變得平庸，毫無上進心，二女兒紀耀終年鬱鬱寡歡。三女婿羅允吉是個花花公子，不務正業，其母又刁悍刻薄，三女紀琛一年到頭總想住娘家。四女婿郭剛基人品學問都不錯，卻又體羸弱，二十一歲便病死，留下紀純拖著兩個兒子守空房。鑒於四個女兒的不幸，曾國藩總結出「五好」的擇婿標準。正因爲「五好」夫婿難找，故而讓二十歲的滿女尚待字閨中。這次視察江南機器製造局，卻意外地看到一只雛鳳，一匹千里駒。自己是看準了，不過這一次他要好好徵求夫人和女兒的意見，過去的教訓實在把他嚇怕了。他想：即使夫人同意，女兒自己不同意的話，這件事也決不勉強。

「人倒是發現了一個，就不知你兩娘女的看法如何？」曾國藩邊說注意看夫人和女兒的反應

：娘眉開眼笑，女兒的臉漲得通紅。

「是個什麼樣的人？」歐陽夫人忙接言。

「聶亦峯這個人你還記得嗎？」曾國藩問夫人。

「你是說衡山聶長子，幾次會試都未中的那個？」歐陽夫人的記性十分好，尤其是寓居京師時，她作為一個賢惠的夫人，對來過她家的丈夫的朋友都記得淸淸楚楚。那個聶亦峯，又是湖南同鄉，又在她家前前後後住過半年之久，印象就更深刻了。

「正是的。」

「那是個好人，學問好，人也好，就是考場運氣不好，我記得他連考了三屆都名落孫山。」

歐陽夫人仰起頭，慢悠悠地說，似乎在回憶往日京師甜蜜的生活。

「咸豐二年考中了，又因寫錯一個字未點得翰林，結果分到廣東去當知縣，現在是高州知府。」

「你說的人是亦峯的兒子？」夫人已猜到了。

「他的老五，現在江南機器製造局當委員，今年十九歲。」接著又把聶緝槼來上海的過程說了一遍。

「今後還可以考進士點翰林嗎？」丈夫出身翰林，歐陽夫人巴望兩個兒子、四個女婿都點翰林，卻偏偏就沒有第二人了。她有時下了狠心，一定要給滿女找個金馬門中人。紀芬撇開父母，獨自一人走到船頭，靜靜地觀看石舫邊來來去去的游魚，耳朵卻沒有放過艙裏二老的每一句話。

「當然可以去考。」曾國藩肯定地答覆了夫人的提問。「不過，也不一定非要中進士點翰林才有出息。年輕時我便告訴過澄侯、沅甫他們，不要沉湎於科舉之中，那裏面誤人甚多，關鍵是要有眞學問眞本領。現在造炮製船便是國家頂重要的事，聶家老五有這方面的才能，你還愁他今後沒有出息？他的娘說得好，今後說不定也可當藩臬撫台哩！我看那孩子氣宇莊重，談吐不俗，今後或許眞有封疆的福氣。」

「夫子你見多識廣，我一向都聽你的，可是從大姑到四姑，四個女婿你自己也都不滿意，故我不得不多問兩句。」女兒是娘身上的肉，歐陽夫人對五個女兒的疼愛，又比丈夫更深一層，背地裏她不知爲早逝的大女、守寡的四女、受氣的三女流過多少眼淚，兩隻眼睛就是這樣哭壞了。

「四個女婿都沒選好，這是眞的。別人都說我會看人，女婿都沒選好，還談得上什麼會看人，我心裏慚愧。」曾國藩沉重地低下頭，好一陣又說，「我想清楚了，過去選女婿，其實不是選本人，而是選父親。父親好，並不能保證兒子就一定好。還有，過去選的是小孩子，沒有長大成人。小時聰明可愛，長大後不一定成器。這次不同，聶家老五已定型了，今後只會越來越懂事，越變越好。我相信，滿姑的命要比四個姐姐好得多。」

「我相信夫子看人是不錯的，但還是要讓我們娘女倆見一見他，我也要小小地考試一下。」

「你也要考試！怎麼個考法？」曾國藩覺得有趣。

「我有法子。滿姑！」歐陽夫人對著坐在船頭的女兒喊，「你說要得嗎？」

紀芬轉過臉，對著母親忸怩地笑笑。

歐陽夫人自有測試女婿的辦法，與丈夫不同。當聶緝槼奉命來到兩江總督衙門時，曾家已作了精心的安排。客廳裏，曾國藩與聶緝槼就江南機器總局的管理話題繼續談下去，屛風後面，歐陽夫人帶著女兒尖起耳朵在偸聽，並通過屛風的縫隙，將聶緝槼從頭到腳看了個仔細。從外表到談吐，歐陽夫人滿意了，問問女兒，紀芬輕輕地點了點頭。

傍晚時，曾國藩留下聶緝槼，請他共進晚餐。破格的禮遇，使聶緝槼頗爲意外。他想起老中堂曾問過他訂親沒有。「是不是要爲我作伐，眞有這樣的好命嗎？」江南總局的年輕委員想到這裏，情緒頓時高漲起來。他知道老中堂不大喜歡多喝酒的文人，遂滴酒不沾，放開膽子津津有味地吃了三大碗飯。屏風後的歐陽夫人看了正中下懷。貪杯壞事的袁秉楨、羅允吉傷透她的心，體質羸弱的郭剛基更令她痛苦不已。客廳裏的這個青年不喝酒，能吃飯，正是歐陽夫人眼中正派、身體好的象徵。吃完飯，喝過茶後，聶緝槼起身告辭。家人捧出十段各種顏色花紋的洋布放到几上。曾國藩指著洋布說：「紀澤娘過去與你母親熟，也見過你的兩個姐姐，她要給她們三人各送一段衣料，不知她們喜歡什麼花色，你給她們各挑一段吧！」

聶緝槼聽了，心裏樂不可支。他將十段布料，一段一段細細地看著摸著，最先挑出一段黑呢，說：「我母親素來不喜歡花花草草，平時家居愛作男子裝。這段黑呢給她做衣服好。」又挑起一段米色起小花的格子絨洋布，說：「我大姐三十歲了，生了兩個孩子，她愛美，又頗穩重，這段布給她最好。」最後挑了一段黃底綠葉粉紅桃花亮閃閃的緞子，裂開嘴唇笑道：「二姐明年出嫁，她又愛俏，這匹緞子給她做嫁妝最合適。」

當曾國藩把聶緝槼選布的情形告訴夫人時，歐陽氏徹底放心了：這孩子心眼細，對女人關心，今後一定會對妻子體貼照顧。這樣的女婿打起燈籠也難找啊！她催丈夫即刻給聶亦峯發信，定下這門親事，明年就嫁女。過了二十歲的姑娘，再不能留在娘家了。

「你這是一廂情願。我們相中了他的兒子，萬一他看不上我們的滿姑呢？」曾國藩樂哈哈地笑道。

「哪有這個事！」歐陽夫人像受了委屈似的，「我的滿姑又漂亮又能幹，誰見了誰愛，還有看不上的？沒有這個道理！」

正說著，紀芬進來對父親說：「摺差送來一個大包封，請父親去大堂祇領。」

曾國藩穿上朝服，來到大堂，焚香望北跪拜後，接過包封。打開看，原來是太后、皇上賞賜的年禮。自從同治年間來每年如此，不論他在前線指揮打仗，還是在安慶、江寧、保定等處衙門當太平總督，每到十二月初便有一大包禮物寄給他，而且每年都是同樣的物品，今年亦不例外：藕粉三斤半，白蓮子三斤半，百合粉一斤半，南棗三斤半，桔餅一斤半，奶餅五斤，掛麵十把。每年接到這包禮物，也同時接到一分溫暖，他從心裏感激太后、皇上的厘注。今天，這份心情似乎沒有過去的濃烈，只是在心裏默默地念著：「又要過年了！」

這是搬進新督署的第一個年節，合署上下喜氣洋洋，商議著張燈結彩、披紅掛綠，給新衙門錦上添花。歐陽夫人這些天精神也好多了。紀鴻夫婦帶著三子一女由長沙來到江寧，同船的還有紀琛和她的兩個兒子，紀耀和她的丈夫陳遠濟。紀鴻還告訴父親，九叔也會來江寧過年。

空曠的衙門一下子變得熱鬧起來。

曾國藩夫婦見到一船晚輩，心中又喜又悲。喜的是兒孫滿堂，悲的是早逝的大女和新寡的三女。曾國藩最感欣慰的是二房人丁興旺。紀鴻成家尚只七年，便爲他添了三個孫子，相比起來，長房就冷清多了。紀澤與劉蓉的女兒成親十三年，先後生了兩個兒子，均不滿周歲便夭折，現在只有兩個女兒。紀澤今年三十三歲了，心裏很著急，曾國藩夫婦也很著急。

郭氏會做人，一進衙門，見嫂子臉色不悅，知她心裏妒嫉，便和丈夫商量，請兄嫂於他們的三子中任擇一人暫爲撫養，等日後生子再退還。因爲曾國藩的一等侯是世襲罔替的，明擺著今後是紀澤的長子承襲，紀鴻夫婦爲怕兄嫂誤會，以爲是爲了搶襲侯權，故先行講明，不以小宗亂大宗。紀澤夫婦見弟弟、弟媳如此賢惠，甚是感激，便選中了將滿周歲的廣銓。曾國藩對此事大加讚賞，親自爲孫子的過房舉辦了隆重的儀式，並對兒子們說：「過房是好事，若作活動的，今後便容易生麻煩，當年中和公出嗣添梓坪，因活動而生訟端。你們兄弟要學少荃撫幼荃之子的樣子，不作活動作呆筆。今後紀澤不管再生幾個兒子，廣銓總在長房，不再回二房，這樣方可杜絕日後的囉嗦事。你們兄弟同意不同意？」

「同意。」紀澤、紀鴻異口同聲。

「那你們兄弟一起，在祖宗牌位面前訂個約吧！」

紀澤、紀鴻在曾祖星岡、祖公竹亭牌位下跪定，共約謹遵父命，過房之事永不變更。

二 一個苦甜參半的怪夢

辦完這件家中大事，曾國藩一陣輕鬆，回房稍作休憩。他一躺上床，便忽然見到了久別的祖父和父親，心中十分驚訝。張眼四處一看，這不到了荷葉塘嗎！那繞山蜿蜒的流水，恰是魂牽夢繞的涓水河；那蒼蒼翠翠的峯嶺，正是日思夜想的高嵋山。「啊，生我育我的家鄉，我又回到了你的懷抱！」曾國藩心裏有說不出的痛快，呼著喊著，孩子似地奔向涓水河，奔向高嵋山。

他沿著涓水河畔走，彷佛正是一個提著竹籃子，剛從祠堂告別雁門師回家的小學生，對草叢中驚飛的翠鳥、水邊嚇跑的游魚充滿著興趣。駝背五爹還坐在那株古柳樹下，悠悠閑閑地含著一杆三尺長的煙管。他起身拉繩，那把傳了幾代的百年老罾扳起來了，小魚小蝦在網中活蹦亂跳。看著放學的孩童貪婪地站在一旁，駝背五爹選了一條小小的紅鯽魚遞過來。小學生如獲至寶，雙手捧著，撒開腿向家中跑去。背後五爹高喊：「孩子，你的竹籃子不要了？」跑著跑著，紅鯽魚不見了，小學生上了高嵋山，一剎那間就變成了十六七歲的少年，手裏握一把柴刀，沿著山間小路走進一片竹林。多好看的竹枝啊，清幽勁節，他眞不忍心舉刀。但無法，他要砍下竹子，用它來編織籃子，然後拿到蔣士街上去賣，換回幾個買紙筆的零錢，讀書郎的家境並不寬裕呀！他不以此爲苦。林中小道送給他生趣盎然的情致，一只只從自己手裏成形的青皮白心的竹籃子，又給他帶來成功的喜悅……

忽然，山腳下響起震耳欲聾的鞭炮聲，他快步跑下去。「哐哐噹噹」的鑼聲裏，走出一個帽子左邊插著紅花的差役，在家門口高喊：「恭喜恭喜，貴府公子高中第三十六名舉人！」祖父、父親笑盈盈地走出來，接過喜報，屋門口圍滿了四鄉八村前來看熱鬧的老老少少。一會兒，圍得水洩不通的人羣讓開了一條路，一乘大紅花轎抬進門來，老岳父歐陽凝祉先生笑吟吟地騎馬跟在轎後，夫人來了！曾國藩雙喜臨門，樂得眉開眼笑，情不自已。夜深了，鬧洞房的親友都走了，夫人頭罩紅綢，羞澀地坐在床沿上。新郎倌舉著龍鳳紅燭，心懷惴惴地走過來，他不知新娘子長得如何。遲疑了很久，終於輕輕地揭開紅綢。新郎倌驚呆了：燭光下，新娘子粉面桃腮，含情脈脈。一種從未有過的幸福感湧上心頭，他醉醺醺、眼迷迷地把新娘子抱了起來。慢慢地他睜開眼睛，抱在懷裏的夫人已眇一目，額頭上盡是皺紋，頭髮斑白，他掃興地鬆開手，猛然間從鏡子裏看到一個衰朽老頭。那正是他自己！

他沮喪地走出屋門。外面車水馬龍，人聲鼎沸。「這不到了長沙城嗎？」當他看到熟悉的火宮殿時，心裏說道。火宮殿裏裏外外亂糟糟的，他正要轉身走開，一個肩膀上搭著抹布的伙計滿面堆笑地說：「要尋清靜的地方嗎？樓上雅座請。」曾國藩停步，見這伙計十分面熟，這不是岳陽樓上那個很會說話的店小二嗎？他怎麼到這裏來了！再定睛一看又不是。啊！對了，他是稽茄山下小飯舖裏那個忠厚的老板。老板撩起圍裙，一邊擦手一邊說：「你老放心，再也不會看到長毛了，長毛已叫你老消滅了。雅座裏沒有外人，都是你老久別的朋友。」

曾國藩覺得奇怪，上得樓來，掀開簾子看時，唬得心跳不已。雅座裏的八仙桌旁坐著三個人，正在開懷暢飲，高談闊論。上首坐的江忠源，右邊坐的胡林翼，左邊坐的羅澤南。他忙進去，作揖打招呼：「多時不見了，原來你們都在這裏！」怪哉，三個人都沒有發現他，繼續談著他們的話。他很喪氣，便訕訕地靠著下手坐著，藉此休息下。只聽得江忠源爽朗地笑道：「現在好了，天下安靜了，正是當年康節先生所說的：『人樂太平無事日，鶯花無限日高眠。』我輩可以痛痛快快地飲酒賦詩了。」

「是呀。想當初我們創建湘勇，是何等的艱難困苦，那年就在這個火宮殿裏鬧出了人命案，逼得湘勇無法在長沙安身，不得不躲到衡州去。」羅澤南插話。

「難得滌生忍辱負重，終於在衡州練就了水陸大軍，奠定了日後湘軍勝利的根本。」胡林翼感嘆道。

曾國藩在一旁聽了略覺寬慰，心裏想：「幸好他們沒有看見我，且多坐一會，聽他們是如何議論的。」

「要說滌生忍辱負重，眞我輩不及，鎭篁兵的欺侮、湖南官場的勢力不消說了，後來在江西，新老巡撫都跟他過不去，不給糧餉都罷了，還要說他運了大批金銀回荷葉塘，說他打仗無能，聚斂有方，你看氣不氣人！」羅澤南取下眼鏡，用手絹擦著眼睛，不知是眼睛昏花了，還是因過於激動而流了淚水。對親家的這個舉動，曾國藩很是感激。

「這都可以理解，其原因一是愚蠢，二是妒嫉，最讓人心裏過不去的是，打發德音杭布來軍營窺探，調多隆阿跟隨左右。滌生是滿腔熱血，一片忠心，朝廷卻如此猜忌，豈不讓人心寒！」胡林翼用手來回重重地摸著桌面，似乎在發洩胸中鬱忿，一向蠟黃的兩頰上泛起紅潮。

曾國藩呆呆地望著他們，感慨萬千。

「算了，都不去說它了，好在滌生兄壯志已成大業，如今功成名就，我大清朝自三藩以後，還沒有哪個漢人有滌生兄的榮耀，我們也都仰仗他的忍辱負重而名登凌煙閣。」這是江忠源的宏亮豪放的嗓音，說罷滿飲了一口酒。

「長毛、捻子都好對付，難爲的是洋人。我總擔心滌生會栽在洋人手裏，毀了半世英名」胡林翼沒有喝酒，情緒忽然低落下來。曾國藩偷眼看時，兩頰上的紅潮不見了，正是安慶南門碼頭上嘔血昏迷時的樣子：乾瘦灰白，兩眼微閉。

「洋人怕什麼，又不是三頭六臂，若撞在我手裏，定叫他有來無回。」江忠源怒道，仍是當年戰蓑衣渡、守長沙城的氣概。

三人正說得起勁，忽然簾子又被掀開，昂首進來一長鬚老儒。此人衣衫破舊，精神矍鑠。一進來，便用手杖指著八仙桌邊的人說：「你們在這裏喝得痛快，怎麼不叫我？」三人忙起身，陪著笑臉說：「不知吳舉人駕到，有失遠迎。」

曾國藩定睛一看，方知來的是岳州怪才吳南屏，二十多年不見了，不料在此相遇。正要起身打招呼，又想，他們看不見我，我也不驚動他們了，且一旁坐聽算了。

吳南屏一屁股坐下來，喝了幾口酒後，便舊習不改，牢騷滿腹，怪話連篇：「我在外面聽得多時了，你們都是湘軍大頭目，稱讚湘軍的功勞，說長毛是你們湘軍滅的，大清是你們湘軍保的，眞正是老王賣瓜，自賣自誇！其實，長毛是自生自滅。倘若沒有內訌，這天下洪楊坐定多年了。」

眞是一語驚四座，大家都洗耳恭聽。曾國藩心想：「說他是怪才，恰如其分」

「我還勸你們且慢表保大淸的功勞。叫我看，湘軍不但不是功臣，它正是挖大淸江山基腳的罪魁！」

江、胡、羅都瞪大眼睛望著他，曾國藩更是惶惶不安。

「你們想想看，大淸二百年來，兵都是朝廷掌握的，錢糧皆歸之於戶部，藩臬聽命於中樞。這些年來，因軍功而升至督撫的多達二十餘人，至今還佔據十八省的近半數。他們仗著功勞，不把朝廷放在眼裏，兵員成了家丁，錢糧變爲私產，藩臬唯聽命辦事，不敢稍有異議。後起的淮軍將領的驕橫更爲過之，簡直達到了爲所欲爲的地步。今日形勢，外重而內輕，督撫之權大於朝廷，只怕唐末藩鎭割據的局面不久就會重演了。曾滌生說，二十年來與長毛、捻賊之戰，其力費十之二三，與舊時文法之戰，其力費十之七八。好吧，你們看看，這就是他與祖宗成法開戰取勝後的功勞！大淸亡在湘淮軍之手，總在這幾十年間便可證實。」

曾國藩聽到這裏，嚇得渾身冷汗淋漓，心裏狠狠地罵道：「這個吳南屏，我把你列作桐城文派在湖南的傳人，沒有事先徵求你的意見固然不妥，但你也不能這樣挾嫌報復我呀！」

「吳夫子，你說得好！」簾外傳進一句異常宏亮的話，把大家的注意力都吸引過去了。簾子掀開，走進一個四十餘歲的學者。但見他氣宇爽闊，風度倜儻，衆人看時，進來的原來是風流才子王闓運。他不待招呼，逕坐在八仙桌上首江忠源的旁邊。一落坐，就旁若無人地夸夸其談：「吳夫子的見解我完全贊同，世人非但爲湘軍惋惜，也爲滌翁惋惜。滌翁之才，原在經學文章上，他若一心致力於此，可爲今日之鄭康成、韓退之。但他功名心太重，淸淸閑閑的翰苑學士當不久，便去當禮部堂官，做學問的時間已是不夠了，後又建湘軍戰長毛，更無暇著書立說。長處沒有得到充分發揮，短處卻拼死力去硬幹，結果徒給史册留一遺憾。」

「壬秋，你太刻薄了！」胡林翼大爲不滿地打斷他的話。

「我這話看似刻薄，其實不刻薄。我當面都對滌翁說過。」王闓運仍然不知忌諱地大放厥詞。「滌翁百年後，頌他誇他的人自然千千萬萬，我王闓運偏要唱唱反調。我也擬好了一副輓聯，將來憑弔時要親手交給紀澤。」

「念給我們聽聽！」吳南屏催道。兩個怪才雖然平時互相瞧不起，在這點上卻又聲氣相投。

王闓運飲了一口酒，抑揚頓挫地念道：「平生以霍子孟張叔大自期，異代不同功，勘定僅傳方面略；經學在紀河間阮儀征之上，致身何太早，龍蛇遺憾禮堂書。」

「雄深超卓，評價的當！」吳南屏拈鬚稱讚，「壬秋，你可是冷眼旁觀，所見深刻，不過，我料定曾紀澤不會收下。」

「他當然不會收。這副輓聯只能記在我的湘綺樓日記中，傳諸子孫後世。」

曾國藩心中不懌。奇怪的是，江忠源、胡林翼、羅澤南都未表示異議。他憤然退出雅座，走出火宮殿，瞬時便回到荷葉塘。怪事！涓水河怎麼乾涸了？往昔清亮的河水都到哪裏去了？他又去尋找高嵋山的竹林，不覺嚇懵了！猶如遭受一場大劫般，高嵋山黛青色的美景蕩然無存，漫山遍野都是光禿禿的樹幹，枯黃的敗葉在樹幹間飄搖，然後無聲無息地撒在山坡上、溝澗裏，亂糟糟地，昏慘慘地，令人悲哀而愁腸千結。「唉呀，荷葉塘，你怎麼變成這個樣子了！」曾國藩終於忍不住高喊起來，突然聽見自鳴鐘響了。原來竟是大夢一場！他側身看了看鐘，時針和分針恰好並在一起：剛交子正。

這是個好生稀奇的怪夢！曾國藩心想。他生平所做之夢極多，尤其是咸豐七、八兩年家居時，心境蒼涼，百憂交集，幾乎一合眼便是夢，而且又是一色的惡夢。但像今夜這樣有頭有尾、從小到老、先甜後苦先美後醜的夢，卻從來沒有做過。他冷靜地想想，也不奇怪。美好的荷葉塘，只是他散館進京前腦中的印象，它與純眞的與世無爭的年華緊密相聯。後來就不行了。

到了守父喪的年代，高嵋山、涓水河再也不能引起他如醉如痴的迷戀。對湘軍，對他個人的微辭，他已從京師和家鄉那些宦海不得意，或隱居不仕的朋友書信、交談裏看到聽到多次。前幾天，歐陽兆熊將吳南屏的一封信給他看，夢中吳舉人所言的正是信裏的話。去年從天津南下，在清江浦偶遇王闓運。這個平生信奉帝王之術的俊才，對曾國藩總不重用他，不免有些怨恨，他現在已著作等身，以一學術大師而欽譽海內。他送給曾國藩近年所著的五本書：「周易燕說」、「禹貢箋」、「穀梁申義」、「莊子七篇注」、「湘綺樓文」。就在送書的時候，王闓運不無自得地說，曾國藩本是著述之才，惜不得閑暇，又說他最近戲擬了一副聯語，但不敢相送。曾國藩催他念，誰知竟變成了夢中的輓聯……

今夜，這些雜七雜八的東西都翻出來了，胡亂地拼湊了這個苦甜參半的夢。至於高嵋山的落葉，曾國藩倒認爲正是自身現在的眞實寫照：精疲神散，欲自振而不能，好比深秋季節，敗葉滿山，全無收拾。「哎！」他重重地嘆了一口氣，想起李鴻章已從直隸趕來江寧，上午就要來衙門拜謁，他强迫自己閉目息念，期望能再睡上個把時辰，養養精神。他有許多話要對這個闊門生說。

三　看看我們湖南的湘妃竹吧

接到恩師手諭後，直隸總督李鴻章不顧年關已近、百事叢雜，冒著嚴寒，長途跋涉，由保定來到江寧。去年他從湖廣總督任上調到直隸，接替恩師的職位，同時接手天津教案的掃尾。那些日子裏，師生二人就津案、洋務以及國家形勢作了多次推心置腹的深談。在這些方面，李鴻章完全贊同曾國藩的看法，尤其對興辦洋務，李鴻章表現出比恩師更大的熱情，而且腳踏實地幹實事。在蘇撫任內，他籌建了上海炸彈局、蘇州機器局。在署江督任內，不僅大大擴展江南機器總局，又獨力開辦了金陵製造局。李鴻章利用這些軍火工廠大批生產槍炮子彈，裝備淮軍，使淮軍成爲當時武器最爲精良的軍隊。他不顧人言，在捻軍被鎮壓後堅持不撤淮軍，並把劉銘傳、潘鼎新、張樹聲、吳長慶、周盛波、周盛傳，以及弟弟李鶴章、李昭慶都一一安置在掌管兵權的高位上，形成了他的强大羽翼。其兄李瀚章又最會做官，弟弟一調走，湖督一職就落到他的手中。漢人同胞兄弟倆並世爲總督，清朝開國以來尚無先例。朝野內外，都說李家已取代曾家，成爲天下臣民第一家了。曾國藩聽了，心裏有時也難免泛酸，但更多的是欣慰，甚至還有些感激。

學生勝過老師，不正是體現了老師識才育才的本事嗎？歐陽兆熊講過這樣一件事：那年左宗棠在閩浙總督任上，他去福州看望老朋友，左宗棠放言曾國藩不如自己。他對左宗棠說，帶兵打仗，曾國藩或許不如你，但識人用人卻强過你多倍。曾的門下人才濟濟，你的楚軍除開你這個統帥外再無第二人。誰不如誰，後世自有公論。歐陽兆熊這番直爽的批評，說得左宗棠啞口無言，面有赧色。

就憑左宗棠的面有赧色，曾國藩也就得到很大的安慰，何況李鴻章的事業對他來說血肉相連，息息相關！他清楚地知道，有李鴻章的興盛和强大，就能確保他的事業後繼有人，他的聲名不會因人死而滅。縱觀數千年歷史，幾多人在生時聲勢煊赫，炙手可熱，人一死，屍骨未寒便遭唾罵鞭撻，一生名望掃地以盡。曾國藩知道自己在對待洋務和津案的處理上結怨甚多，倘若沒有一個强有力的人物將自己的思想貫徹下去，並取得成就的話，一旦倒下，便也很可能逃不脫鞭屍揚灰的結局。現在有了李鴻章，有了他的不可動搖的權勢和一班子佔據要津的部屬兄弟，估計二三十年內自己還不至於身敗名裂。曾國藩對自己十年前選定李鴻章作爲傳人的決策很爲慶幸，並感激這個爭氣的門生，且佩服他心理上的堅强勝過自己。由此，曾國藩也寬容了李鴻章寵榮利祿計較太深的毛病，師生之間的關係進入了一個水乳交融的新階段。

李鴻章在天津期間，親眼看見恩師在清議的指責、津民的憤恨和內心的疚愧交織下，如處水火，如坐針氈的艱難處境，望著恩師每況愈下的病軀，他已預感到恩師來日無多了。當讀到這次手諭中「此次晤面後或將永訣，當以大事相託」的話時，李鴻章遂不顧一切南下江寧。

師生見面之後，曾國藩把容閎選拔幼童出國留學的建議提了出來，李鴻章立即欣然贊同，並認爲這是徐圖自强的根本措施。爲保證此事達到預期的效果，李鴻章還提出了許多具體意見，使這個被後人譽之爲中華創始之舉、古來未有之業的大膽設想臻於成熟。曾國藩這幾天很興奮，反反覆覆和李鴻章討論各項細節。最後決定由李鴻章擬稿，二人會銜上奏。

李鴻章的奏章本寫得好。入幕之初，曾國藩叫他掌書記文案。幾個月後便稱讚說：「少荃天資於公牘最相近，所擬奏咨函批，皆有大過人處，將來建樹非凡，或竟青出於藍亦未可知。」現在經過十年督撫生涯的歷練，他的奏章更顯精當老辣。李奏的最大特點是條理縝密、文筆洗練，一件破天荒的大事，他用兩千餘字便將緣起、必要性、如何進行、預期達到的效果，以及十二條具體事項，敍述得要而不煩，面面俱到。主要之點爲：選年在十三四歲至二十歲之間的聰穎子弟到美國去學習十五年，每年選三十名。連續派四年，共一百二十名，朝廷派正副委員管理，估計一切費用總和在一百二十萬兩左右，首尾二十年，每年撥款六萬。

曾國藩看後很滿意，只是在批駁「不必出國，可就在國內學習」的言論時，他添了一句話：「古人謂學齊語者，須引而置之莊岳之間，又曰百聞不如一見，可見親歷其境之重要。」在讀到要立足現在，著眼長遠的培育人才方針時，他添了兩個比喻：「成山始於一簣，蓄艾期於三年。」古文家曾國藩認爲，一篇上乘奏章，文字上除清晰簡潔外，還要適當地加點文采。這樣讀起來才不感到枯燥，並可傳之久遠，所謂「言之無文，行而不遠」，就是講的這個道理。他給沅甫選的奏章範本，就十分注意言文兼顧。全篇都妥貼無誤後，他把草稿交給了文房繕寫，好讓李鴻章親自帶到京師去呈遞。

李鴻章明天就要啓程了。中午，曾國藩在督署內設宴爲他餞行。官場要員和故舊好友聚於一堂，給這位年富力强、功大位顯的協辦大學士敬獻一杯杯美酒，塡塞滿耳的奉承話。李鴻章甚是高興，但也微感納悶：恩師說有大事相託，這些天來除談遣派幼童出洋留學外，並沒有說上幾句心腹話。大事，難道就是指的這件事嗎？

午後，滿天陰雲裂開一道空隙，一縷多日不見的冬陽射進兩江督署，好比一副淡墨畫就的大觀園圖，突然加上紅綠五彩，眼前的一切頓時光華四耀、富麗裔皇起來。正在書齋裏飲茶閑聊的曾國藩見此，情趣大增，笑著對一旁的門生說：「少荃，去看看我們湖南的湘妃竹吧！」

「上哪裏去看?」李鴻章顯然被恩師的話弄懵了。

「你隨我來。」

曾國藩起身，李鴻章隨後跟著。在李鴻章的眼裏，恩師是明顯地老了：臃腫的皮袍裹裹著乾瘦的身軀，脖頸細長多皺，毫無光澤，就像一截脫水的老苦瓜；背彎著，兩個肩膀一高一低，從皮帽裏垂下來的花白辮子，稀疏尖細，猶如一只沾了白粉的老鼠尾巴。與二十七年前初次在京師見面時相比，簡直是天壤之別，只有穩健沉重的步伐，仍保留著昔日的氣概。

曾國藩將李鴻章帶到了西花園。這西花園本是李鴻章設計的。當年一把大火把天王宮燒得變成瓦礫場，什麼都毀壞了，唯獨那艘石舫卻不曾受到絲毫影響，依舊好好地停泊在原處。同治四年曾國藩赴捻戰前線，李鴻章署理江督，開始籌劃重新修建督署。有人建議將石舫炸掉，李鴻章制止了。今天，當他看到浮游在碧波中的石舫時，頓生親切之感。他興致勃勃地穿過九曲橋，在石舫上細細地端詳了好一陣子，才尾隨恩師來到湖岸邊的竹林旁。

好一片令人喜愛的竹林！時至隆冬，草木凋零，唯有這竹枝依然保留著滿身青翠，眞不愧歲寒三友之一。就在這一片大竹林左邊，一條曲曲折折的鵝卵石鋪成的小路，把曾國藩和李鴻章導向了一片小竹林。小竹林前面有一座按荷葉塘農舍形式建造的小房間，專門爲賞竹休憩之用，曾國藩給它取個名字叫藝篁館。藝篁館裏陳設簡樸。正中牆壁上懸掛一幅鄭板橋的墨竹圖，但那不是鄭氏的眞跡。曾國藩從鄭板橋後人手中借來，請彭玉麟臨摹一張。板橋的畫上還有一首他自題的七言絕句：「衙齋臥聽蕭蕭竹，疑是民間疾苦聲。些小吾曹州縣吏，一枝一葉總關情。」曾國藩對這首詩讚賞不已。彭玉麟寫不出板橋體來，曾國藩也寫不出，無奈，只得以自己的行草體錄下這首詩。裱好掛上後，曾國藩笑著對彭玉麟說：「我們倆人合夥打劫了板橋的珍寶，今後九泉之下如何見他！」

彭玉麟也笑著說：「剽竊者是我。滌丈雖錄了他的詩，但沒有用他的體。傳播他的詩，他還會設宴款待您老哩！」

曾國藩開心地大笑了一陣，他覺得很久以來沒有這樣快活過了。

曾國藩將門生領進藝篁館，在中間一張小方桌邊坐下。桌面鋪了一塊白布，上面擺了幾樣糕點，房子裏早生好了木炭火，暖融融的，僕人過來斟好兩碗熱茶。

「少荃，這就是從洞庭湖君山移來的湘妃竹。」曾國藩靠在棉墊椅背上，指著窗外的小竹林，對李鴻章說，「你以前見過這種竹子嗎？」

「沒有。」李鴻章答應一聲，對著窗外看了一眼，然後走出藝篁館，進到竹叢中，他要細細欣賞這一片有著神奇色彩的罕見竹林。

對湘妃竹，李鴻章聞名已久。用湘妃竹作骨做成的湘妃扇，是文人墨客普遍愛攜帶的雅物。他雖不是那種詩酒名士式的人，但也是翰林出身，夏天也愛搖一把湘妃扇。前兩年做過一任湖廣總督，不過大部分時間不在任上而在戰場，故他未去湖南見過活生生的湘妃竹，想不到今天能在江寧城裏見到它！

「少荃，你要好好地看一看，這可是從君山上連土一起運來的眞正的湘妃竹呀！」曾國藩對著窗外大聲說，他似乎很得意，一個人在屋子裏吟起劉禹錫的「秦娘曲」來，「山城人少江水碧，斷雁哀猿風雨夕。朱弦已絕爲知音，雲鬢未秋私自惜。擧目風煙非舊時，夢尋歸路多參差。如何將此千行淚，更灑湘江斑竹枝！」

是的，這的確是湘江邊上的眞正的斑竹！只見略帶黃色的青皮竹杆上，布滿著大大小小的黑色斑點，那黑點極像濺在宣紙上慢慢浸漬的墨痕。把它比作人的眼淚，女人的眼淚，尤其又是舜王的后妃——美麗忠貞的娥皇、女英的眼淚，眞是妙極美極！李鴻章輕輕地撫摸著竹竿，感嘆著蒼莨中竟有如斯稀品，更感嘆著人羣中竟有如斯富於幻想的楚人，而楚人的代表，又正是屋子裏那位已成衰弱的恩師。他一向崇敬老師宏闊的氣魄、堅毅的意志，今天他看出了老師的心靈中還深藏著才子般的綿綿情致。

李鴻章一連看了幾十根竹子，在竹林中眷戀了半個鐘點之久，才依依不捨地回到藝篁館，坐在老師的對面。他喝了一口熱茶，興趣濃烈地問：「恩師，這竹子移來多久了？」

「還不到一個月，眼下長得還可以，假若能在這裏世世代代紮下根，那就眞是一件好事。」曾國藩笑意盈盈。

李鴻章突然覺得，老師對斑竹移到西花園的成功的喜悅，甚至超過了當年的奪取江寧。

「恩師，您送幾根給我吧，讓老四把它種到廬州李家寨去！」李鴻章說，那莊重的神態也與當年請求籌建淮軍相當。

「行！」曾國藩爽快地答應，「如果明年這批斑竹還能如此枝繁葉茂的話，我一定送四十根給你。你四兄弟一人十根，這裏還留五十根，我五兄弟也一人十根。」

這句看似隨隨便便的話中，包含著怎樣的情誼，李鴻章一聽就掂出來了。他十分激動地說：「謝恩師！」

「喝口熱茶吧！」當僕人來到石桌邊，將原先的冷茶潑去，換上熱茶時，曾國藩對李鴻章說，「少荃，你知道我爲何如此喜愛湘妃竹嗎？」

「因爲此竹是恩師家鄉的特產，恩師看著它，猶如回到了家鄉。」李鴻章不加思索地回答。

「你說得對，但還不只這一層意思。」曾國藩撫鬚微笑著說。

「還因爲此竹有一個美麗動人的傳說，使得它比別的竹子更逗人喜愛。」李鴻章立刻加以補充。

「說得好，但還不完全。」

「那……」李鴻章略停片刻，嘻笑著說，「門生愚陋，實在想不出了。」

以李鴻章的敏捷，莫說兩層原因，他一口氣說上十層八層都不要緊，但他有意不說了。一來他素知恩師城府極深，恩師心中的意念不是他能輕易道得出的；二來他要在恩師面前保持著虛心求教的晚輩形象，寧可不再猜下去，請恩師賜教，也不要逞強顯能，使乖賣巧。這也是李鴻章磨練出來了，恃才自負的淮軍領袖，過去對這一點是想都不願去想的。

「湘人愛斑竹，老朽尤重之，物以稀爲貴，且又有舜王南巡，客死蒼梧，娥皇、女英尋夫不見，淚灑竹林自投湘江的那一段傳說，這的確是斑竹受人喜愛的原因。老朽看重斑竹，主要是從斑竹的身上聯想到了一種血性。娥皇、女英明知舜王已死，不可再見，卻偏要南下尋找，尋不著，則投水自盡，以身相殉。這是什麼血性呢？是知其不可而爲之的血性，是以死報答知遇之恩的血性，是對目標的追求至死不渝的血性！」

李鴻章聽著聽著，不禁肅然起敬。他的腦子裏漸漸浮現出二十七年前的碾兒胡同書房，恩師在給他講「詩經」中的借物喻志，講先賢的品德節操……身爲太子太保、協辦大學士、一等肅毅伯的李鴻章，在恩師的面前，仍有一種當年作學生時的凜然崇敬之感。他在細細地咀嚼恩師今日說這番話的深遠含義。

「少荃，這次我們師弟在江寧晤面，說不定是今生今世的最後一面了。」曾國藩的聲調突然變了，風捲松濤、浪掀戰艦的激昂慷慨被無可奈何花落去的情緒所替代。

「恩師精力如昔，門生今後求教的日子還長哩！」李鴻章心中憮然，臉上仍泰然無事地微笑著，似不把這話當作一回事。

「你不知道，我的腳已腫了好幾個月了。」曾國藩把腳伸前一步。「俗話說男怕穿靴，女怕戴帽，這腳發腫是一個極壞的預兆。」

「不要緊的。我回保定後，爲恩師尋一個專治此病的良醫來。」李鴻章注視著曾國藩伸過來的腳，安慰道。

「不必了。」曾國藩恢復常態，「這二十年來，我已死過幾次了。死，對我來說，不值得害怕。把你從保定請來，是想在死前跟你說幾句重要的話。少荃，時勢把我們師弟綁到了一起，塞進了一條航船中。」

天空上的裂雲漸漸縫合，溫暖燦爛的冬日又被陰霾所掩蓋，富麗堂皇的兩江總督衙門重新變爲一幅灰濛濛的水墨圖卷。李鴻章感覺到胸口有點堵塞，身上添了一分寒意。他肅然答道：「這些年來，門生追隨恩師身後做了一點事，雖是時勢所促成，但恩師獎掖提攜之大恩，門生豈能須臾淡忘！」

「當年在京師初見賢弟之面，老夫便將賢弟許爲傳器。丁未年賢弟打馬進玉堂，我視你與郭筠仙、帥遠烽、陳作梅爲丁未四君子。安慶攻下後，我請賢弟招募淮勇，東下上海，後又以蘇撫一職密荐。我一生庸碌，無所建樹，唯一可安慰的就是看準了賢弟是個可寄重任的大才，要說報答皇恩，留聲後世，也僅此一樁而已。」

曾國藩一往情深地追憶著往事，至高至重的由衷贊許，把李鴻章的心情推向激動莫名的峯巓。他以近於哽咽的聲音說：「門生微薄之勞，與恩師巍巍功德相比，如爝火之比日月，沙丘之比泰岳，何況這點勞績，也包括在恩師一生的勛業之中。」

「十年來，湘淮兩軍、曾李兩家爲世所矚目。前人說嶢嶢者易折，皎皎者易污，又說木秀於林，風必催之，老朽近年來常有憂讒畏譏之患，時存履薄臨深之感，這是老朽與生俱來的膽氣薄弱、遇事瞻顧的本性，所喜賢弟豪邁堅强，敢作敢爲，在心性上勝我多多矣，這是老朽最堪欣慰之處。」

「門生也經常有空虛怯弱的時候，尤當事機不順、夜闌更深之時更是如此。」李鴻章向以鐵腕强硬著稱，這是他在人前第一次表示自己也有虛弱的一面。

「我想再硬再强的人，這點靈府深處的怯弱感總是難免的。蘇長公說，寄蜉蝣於天地，渺滄海之一粟。人在天地滄海之間是何等短暫渺小，能不怯弱嗎？」曾國藩淡淡一笑。僕人過來換上熱茶，曾國藩喝了兩大口，李鴻章也淺淺地呷了一口。

偏西的太陽被陰雲壓抑多時，終於又掙扎出來了。它的金黃色的光輝照在洪秀全留下的畫舫上，也照在從君山移過來的湘妃竹上；它照在曾國藩灰黃多皺的長臉上，也照在李鴻章豐滿厚實的雙肩上。人有好惡，它無偏倚；人有壽夭，它將永恆。

「我自知來日苦短，死在旦夕，賢弟正如麗日中天，方興未艾，前途極宜珍重，我有幾句心腹話要對賢弟說。」曾國藩凝重地對凜然端坐的門生說，「湘淮軍自創建以來，平長毛滅捻寇，殺人不計其數，仇敵遍於天下，這自然不消說了。還有一層，不知賢弟可曾注意到，湘淮軍之所以取得勝利，乃因破除祖宗成法、世俗習見。」

「門生知道。」李鴻章點頭說，「我朝兵權握在中樞，從不下移。過去川楚白蓮敎造反，各地建起團練，參與鎭反，然事畢團練即全部解散。湘淮軍一反成例，爲平定長毛捻寇之主力。長毛平後，恩師遵成法，湘勇陸師撤去十之八九，但水師仍基本保留，並轉爲經制之師。捻寇平後，淮軍撤去不過十之二三罷了。這些都與世俗文法大不相合。」

「對！你見事明白。」對李鴻章的回答，曾國藩十分滿意。「湘淮軍不反世俗文法，則不可成事；湘淮軍一反成法，則又貽下無窮後患。有人說，將啓唐之藩鎭、晋之八王之先聲，非危言聳聽，實見微知著也。我生性顧慮甚多，懾於各種壓力，同治三年江寧收復後，强行大撤湘軍，雖一時免去了不少口舌，但終究缺乏遠見，後之捻亂幸賴賢弟淮軍以成大功。賢弟氣度恢廓，近年來不但不撤淮軍，反而大量用洋槍洋炮裝備，成爲當今天下第一勁旅。對於此事，朝野議論頗多，甚至有人以董卓、曹操視之，疑有非常之擧。」

說到這裏，曾國藩又端起茶杯喝水，並注意看了下李鴻章的反應。只見他神態自若，並不因世有董、曹之譏而動容。曾國藩心裏嘆道：「這就是李少荃，他到底與我大不相同。」

「這當然是無識者淺見。」曾國藩接下去說，「當今內亂雖平，外患不已，大淸江山時有被蹂躪之虞，八旗、綠營不能作依靠，前事已見，保太后皇上之安，衛神州華夏之固，日後全仗賢弟之淮軍。另外，維護我湘淮軍十多年來破世俗文法之成果，亦只有指望强大的淮軍的存在。這就是我要跟你說的第一點，今後不管有多大的風波興起，淮軍只可加强而不可削弱，這點決不能動搖。」

「請恩師放心，只要門生一息尚存，這一點一定謹守不渝！」李鴻章語氣堅定地表示。他沒有保君衛國的强烈神聖使命感，也並非有維護湘淮軍破除世俗文法戰果的深遠認識，他只有一個明確的觀點：亂世之中手裏的刀把子不能鬆，這是一切賴以存在的基礎。不過，曾國藩的這些話也給他以啓示，他今後可以保君衛國的響亮口號來從多方面提高淮軍的戰鬥力，而一旦淮軍眞的成了天下獨一無二的勁旅，便任是誰人也不敢說撤銷一類的混帳話了！

「長毛平後，我曾期望國家即刻中興，誰知捻亂又起；捻亂平後，可以措手了，不料又發生津案。在處理津案時，我已力盡神散，自知不能有任何作爲了，而朝野又對津案的處置分歧甚大，一時尚難望彌縫。中興何時到來，看目前形勢，實難預卜。然天生我輩異於流俗者，就在於以天下興亡爲己任，知難而進，甚至知其不可爲而强爲之。數十年來，我知辦事之難，在人心不正，風俗不厚，而正人心厚風俗，其始實賴一二人默運於淵深微莫之中，而其後人亦爲之和，天亦爲之應。我與賢弟，正是屬於這一二人之列。我力求先正己身，同時亦大力培養一批人才，造就一批好官，將他們當作種子，期待他們開花結果，實現天下應和的局面。可惜此事辦得並不成功，爾後尚須賢弟時時自覺一身處天下表率的地位，並且還要多多培植人才，援引好官，到了普天之下都來應和的時候，風俗自然改變，康乾盛世當可重睹。這是我要與賢弟談的第二點。」

說到人才，李鴻章一向最服曾國藩的知人善任，於是趁機問：「恩師，門生閱歷有限，又常帶兵打仗，無暇深究，對當今一些重要人物都乏眞知灼見。恩師向以識人精微著稱，是否可將他們略加品評，以便門生心中有數？」

曾國藩聽後沉默著，很久不做聲。

四　藝篁館裏，曾國藩縱論天下人物

曾國藩上上下下地梳理著長鬚，沉思良久，才慢慢地說：「月旦人物，從來非易，身處高位之人，一言可定人終生，故對這類話尤須謹慎。我向來不輕易議論別人，即因爲此。今日晤談，非比尋常，有些話再不說，恐日後永無機會了。不過，我也只是隨便說說，你聽後記在心裏就行了，不必把它作爲定評，更不要對旁人說起。當今海內第一號人物，當屬在西北的左季高。此人雄才大略，用兵打仗，自是第一好手；待人耿直，廉潔自守，亦不失爲一良友賢吏。但喜出格恭維，自負偏激，這些毛病害得他往往吃虧，而他自己並不明白。金陵收復後，他不與我通往來，後人也許以爲我們凶終隙末。其實我們所爭的在兵略國事，不在私情。我一直認爲他是大清開國以來少見之將才。我想，他若平心靜氣地談起我，大概也不會把我說得一無是處。」

李鴻章說：「門生聽楊昌浚說，浙江的餉糈只要晚到幾天，左季高便會火速函催，不管青紅皂白，開口便嚴厲責問：你的官是誰給你的？誤了我的大事，我立即參掉你的巡撫！」

「這就是左季高！」曾國藩笑道，「這話只有他說得出。左宗棠之下當數彭玉麟。此人極富血性，光明磊落，嫉惡如仇，且淡泊名利，重情重義，我常說他是天下一奇男子。他每次都跟我說起要回到他的退省庵去。」

「他曾對我講過，陳廣敷先生有次仔細看了他的骨相，說他前世是南岳一老僧。」李鴻章插話。

「這或許是眞的。」曾國藩正色道，「廣敷先生的相是看得很準的。他要回退省庵，我也不再強難他了。今後小事，你也不要再去驚動他。倘若洋人與我有戰事，你用忠義二字一激，我料他哪怕七十八十歲，也會像老廉頗一樣勇赴前線。」

李鴻章點頭應允。

「此外還有郭筠仙。前幾年在粵與寄雲鬧得不可開交，衡情衡理，自是筠仙不對。早年在都中，寄雲見筠仙之文采，便極欲納交，央我從中介紹。後任湘撫，又屢思延之入幕。比任粵督，廷寄問黃辛農能否勝粵撫之任，寄雲即疏劾黃及藩司文格，而保郭堪任粵撫，令兄堪任藩司。寄雲才具固然不如筠仙，但畢竟有德於筠仙，而筠仙與寄雲爭權，弄得督撫不和。筠仙自己亦不檢點。先是棄錢氏夫人，後迎錢氏入門，其老妾命服相見。住房，夫人居下首，妾居上首，進撫署則與夫人、如夫人三乘綠呢大轎一齊抬入大門。你看，輿論怎不鼎沸？而筠仙竟悍然不顧。」

「怪不得粵撫做不下去了。」這些趣聞，李鴻章聽得甚是有味。

「不過話要說回來，筠仙之才，海內罕有其匹，然其才不在封疆重寄上。他才子氣重，不堪繁劇。他只能出主意，獻計謀，運籌於帷幕之中。他對洋務極有見解，明年合適的時候，我擬保荐他出洋考查一次，他的所見必定會比志剛、斌春要深刻得多。我觀他的氣色，決不是老於長沙城南書院的樣子，說不定晚年還有一番驚人之舉，從而達到他一生事業的頂峯。」

「我對這個同年多少有點了解，他最適宜與洋人交往。去年津案發生，舉國主張强硬，反對柔讓，筠仙力排衆議，痛斥不負責任的淸議，眞正難能可貴。」

「是呀，他在這方面的見識遠勝流俗，也勝過孟容。」曾國藩說，「另外，劉印渠長厚謙下，心地亦端正，性能下人，是有福之相。官秀峯城府甚深，與人相交不誠，然止容身保位，尚無險陂。沈幼丹胸襟窄狹而本事不小。楊厚庵不料病重得臥床不起，他學問不足，事業怕就只做到這一步了。黃翼升人極老實廉潔，但本事不及，長江水師提督一職，今後遇到合適人再更換。丁日昌精明能幹，辦洋務是一把好手，但操守方面欠檢點，物議頗多。」

「關於丁日昌的議論我也聽說過，天津有人罵他丁鬼子。此人有點像門生，做事大不留後路。」李鴻章自嘲似地笑了笑。

「近日戶部有一摺，言減漕事，據說是王文韶所作。你認識此人嗎？」

「沒見過。」

「這道摺子寫得好，其人有宰相之才，今後要注意接納。」

「噢。」李鴻章在心裏記下了這個名字。

「至於令兄筱荃，血性不如你，但深穩又過之。」

「恩師，你看門生最大的不足在哪裏？」

李鴻章突然心智大開，冷不防向曾國藩提出這個問題。憑他多年與老師相處的經驗，知道用這種突然發問的方式，往往可以得到老師心中最直率的眞言。果然奏效。曾國藩隨口答道：「你的不足在欠容忍。我一生無他長處，就在這點上比你强。還是在京師時，邵位西便看出來了，他說我死後當諡文韌公。雖是一句笑話，卻眞說到了點子上。我那年給你講的挺經的第一條，你還記得嗎？」

「記得，記得。」李鴻章連聲答。那年曾國藩說的兩個鄉下人在田塍上互不相讓的故事，給他極深的印象。他曾經認眞地思考過很長一段時間，也體味出了這個小故事中所包含著的許多內容，但他把握不準老師本人的意思。「恩師，門生和其他幕僚當時都猜不透那個故事中的含義，您啓發我們一下吧！」

望著李鴻章這副虔誠的態度，曾國藩笑了：「其實也沒有什麼很深的含義，一樁鄉下時常可以看到的小事罷了。都是兩個犟人，在那裏挺著，看哪個挺得久，不能堅持下去的人就自然輸了。我這個人年輕時就喜歡與人挺著幹，現老了，不挺了，也就無任何業績了，看來還要挺，所以提醒你注意，世間事誰勝誰負，有時就看能挺不能挺。」

李鴻章似有所悟地點頭。隔了一會兒，他說：「門生當時想，恩師講這個故事，是要告誡我們：天下之事，在局外吶喊議論總是無益，必須躬身入局，挺膺負責，如同那個老頭子樣，乃有成事之望。好比後來發生的天津教案，主戰者全是局外之人，他們不負責任，徒尚意氣，倘若讓他們入局負責，也不會喊得那麼起勁了。門生這個理解，不知也有道理否？」

「有道理。」曾國藩會心一笑。心裏想：這個聰明過人的年輕人，眞的能見人之所不能見，發人之所不能發，你看他把那個爭過田塍的小故事，與津案輿論聯繫得眞是天衣無縫！

「第三件大事，是希望賢弟把徐圖自强的事業進行到底。這一兩年先要把選派幼童出洋一事辦好。賢弟於此成績斐然，我最爲放心。」

說起辦洋務，李鴻章興趣最大，也自認爲研究最深，他不覺高談闊論起來：「洋務非辦不可！歐洲各國百十年來，由印度而南洋，由南洋而東北，闖入我邊界腹地。凡前史之所未載，亙古之所未通，無不款關而求互市。我皇上以如天之度，一概與之立約通商，合地球東西南北九萬里之遙皆聚於中國，這的確爲三千年一大變局。中國之弓矛、抬槍、土炮，不能敵洋人之來復槍炮，中國之舟楫艇船，不能敵洋人之輪機兵船，故而受制於洋人。處今日之局勢而侈言攘夷、驅逐出境等等，固虛妄之論，即欲保和局、守疆土，若無槍炮船艦，亦是空話。門生以爲，自强之道在師其所能，奪其所恃，故不能不辦機器局，辦造船廠。門生想，洋人之槍炮艦船，也不過創制於百數十年間，就能持之而侵淩我中國。若我們果能深通其法，也就能造出如洋人一樣的船炮，說不定還可超過他們，那時就不愁攘夷自立了。所以門生極爲贊成派幼童出國留洋之事，並竭盡全力協助恩師辦好。」

曾國藩握鬚凝神聽完李鴻章這番宏論，對他所提出的「三千年一大變局」的論點激賞不已。這是一句振聾發聵的呼喊，但願太后、皇上、中樞諸大臣，以及各省督、撫、將軍、提督都能聽到這聲呼喊！

「少荃，你以『三千年一大變局』這句話來概括今日形勢，非常簡明動聽。你回保定後，就以這句話爲宗旨，把剛才說的這些內容，給太后、皇上上一個摺子，讓天下人都能受到震動。」

「好，我回去就寫。」李鴻章也早有這個想法了，他要給醇王和前不久去世的倭仁一類的人敲敲警鐘。

「少荃，有一點我要提醒你，無論辦洋務也好，引用洋人的好辦法好制度也好，還是派人留洋也好，有一個基本之點要時刻記住，那就是必須以我中華名教爲本。這個意思，你的幕僚馮桂芬早在十年前便用最明確的語言表達了：『以中國之倫常名教爲原本，輔以諸國富强之術。』這句話，我很讚賞。」

「這也是門生的意思。景亭老先生『校邠廬抗議』一書中許多觀點，都與門生磋商過。刻印時，門生還資助他二百兩銀子。」李鴻章笑道。

「那就好。」曾國藩滿意地頷首。「洋人的長處要學，老祖宗的衣鉢更不能丢！」稍停片刻，他又問：「少荃，直隸是外交第一要衝，這一年多來，你與洋人交涉，抱定一個何等樣的態度？」

李鴻章思索一會，說：「門生與洋人交往，也無一個固定的態度。洋人狡詐，門生只同他們打痞子腔。」

說完，眼睛看著曾國藩。曾國藩以五指捋鬚，久久不語。李鴻章知此話說得不得體，便不再說下去了。

「啊，痞子腔，痞子腔！我不懂你的痞子腔是何打法，你打兩句給我聽聽。」曾國藩的手在花白的鬍鬚上一上一下地移動了好幾個來回，才慢慢地說出這兩句話來。

李鴻章忙說：「門生這是信口胡說的，究竟應以何種態度與洋人打交道，還求恩師指點。」

曾國藩的手仍未離開鬍鬚，將李鴻章諦視良久，說：「依我看，還是一個誠字適當，誠能動人。洋人亦是人，中國人可以誠動之，洋人豈能例外？聖人言忠信可行於蠻貊，這是斷不會錯的。我們眼下既無實在力量，盡你如何虛強造作，他是看得明明白白，都是不中用的。不如老老實實，推誠相見，與他平情講理，雖不能佔到便宜，也或不至過於吃虧。無論如何，我的誠信身分，總是靠得住的。腳踏實地，蹉跌亦不至過重，想來比痞子腔靠得住些，你說是嗎？」

「是，是。」李鴻章點頭不已，「門生今後一定遵循恩師的教誨辦理，與洋人推誠相見。」

斑竹林邊，藝篁館裏，師生倆推心置腹地暢談著。西邊天空漸由明朗而轉成緋紅，最後，夕陽終於頑强地衝出雲層，在即將墜入西山的最後一瞬間，露出了它火紅的一角。餘輝將兩江總督衙門照得通明透亮，預示著明天將是一個晴朗的日子。曾國藩對著窗外的僕人招招手。那人進來，雙手捧著一個約七寸長三寸寬，以暗紅織錦飾面的小木盒。曾國藩接過小盒，打開盒蓋，露出兩個墨綠色的精美玉球來。他指著玉球對李鴻章說：「這兩個和闐玉球，原是穆中堂的愛物，在他的手心裏轉過二十餘年。咸豐四年穆相病重期間，託康福送給了我。從那時起，在我手心裏又轉過十七八年了。現在，我也不需要用它了。賢弟目前雖精力充沛，然亦需早加保養。明天是個晴天，正好啓程，我一生無奇珍異寶，穆中堂的這兩個玉球，就轉送給你，權作我留給你的一點紀念吧，願賢弟爲國珍重！」

李鴻章舉起雙手，鄭重地接過木盒，一時不知說什麼是好。這時，曾紀澤拿了一件絲棉斗篷走了進來，對父親說：「剛才收到九叔從武昌發來的信，已於初二日啓錨來江寧，這兩天內怕要到了。

「哦，沅甫是該到了。少荃，我們回上房吃夜飯去吧！」

五　曾國荃他鄉遇舊部

曾國荃在彈劾官文之後，日子過得很不舒心。前向與捻軍打仗，新湘軍敗得潰不成軍。官場對劾官一案一片嘲諷，都說他心胸狹窄，居功自傲，朝廷也覺得他做得過分了。曾國荃處在內外夾攻之中，遂藉口傷疾復發，辭官回里了。回到荷葉塘之後，他用從安慶、江寧掠來的金銀廣置莊田，大興土木，大夫第建築得龐大複雜，耗去近十萬銀子，令湘鄉士紳聞之咋舌。平素家居揮金如土，一切都講究豪華、氣派。他嫌湖南的信箋不好，派人帶八百兩銀子進京，將琉璃廠的名貴信箋一掃而空，驚得那些老板們瞠目結舌。他自己也覺得有點太鶴立雞羣了，怕招致兄弟侄兒們的怨恨，於是瞞著大哥，在離黃金堂五里外的地方建起一羣樓房，取名富厚堂，作爲送給大哥的禮品。又建一座房子，取名有恆堂，送給國葆的嗣子。又將黃金堂予以改建，更名萬年堂，安置國潢一家子。國華的妻妾住白玉堂，不想再動，於是他又送二萬銀子給紀壽。這樣，兄弟侄兒們同聲讚揚九爺的手足情深。但方圓數十里的百姓則怨聲四起。因爲曾府興建如此多的高樓大廈，需要大量的合抱老樹，而這些老樹大都長在墳山上，主人家都不願砍伐。曾國荃把四鄉頭面人物請來，要他們幫忙。這些人誰不想討好？便硬逼著老百姓砍掉從祖父輩、曾祖父輩傳下來的墳山大樹孝敬曾府。百姓們敢怒不敢言，私下裏無不恨得要命，都巴望新建的樓房遭雷打火燒。這尚在其次，最使曾國荃頭痛的是兩件事。

一是原吉字營陣亡將領們的子弟，三天兩日來找他訴苦。他們也有自己的苦惱。撫恤銀有限，一兩年就用光了。眼看著別人風風光光地回到家裏，帶來的財寶用船裝，用車載，自家的親人賠上一條命不算，一點分外財也沒得到，他們何能不氣惱，不眼紅？這是一層，還有一層。死去將領們原來的部下有混得不好的，也常常跑上門來大哭大鬧，說是先前欠了他的餉未發，都私吞運回家，逼著要其子弟補欠餉。這些子弟們又煩惱又氣憤，無處發洩，便都找上原吉字營的統帥。有些婦道人家還因此想起死去的丈夫、兒子，能在大夫第披頭散髮地哭上幾天幾夜不罷休，弄得曾國荃一家不得安寧。有些實在不能對付的舊親舊誼，還只得拿出幾十百把兩銀子來，才能勉強打發走。

第二件頭痛的事，是原吉字營官勇在湖南，在湘鄉境內的惹是生非，其中尤以哥老會鬧得最凶。哥老會的成員大半部分是那些在前線掠財不多的下級軍官和勇丁。仗打久了，農民的勤勞儉樸的本性丟盡了，又仗著有點本事，有幾次戰功，見過場面，膽子大得很，有的甚至無法無天，胡作非為，再加之結成會黨，使得地方官都不敢正視，老實的百姓們更是遠遠躲開。這些為害鄉里的湘軍舊部，遠勝過當年的串子會、紅黑會、一股香會，令過去的搶王盜賊們望塵莫及。百姓們的怨罵，官紳們的指責，都輾轉傳到了原吉字營統帥的耳中，他無可奈何。而且還隱隱約約地聽說羅澤南、李續賓家也有人捲入了哥老會，又說是蕭孚泗當了哥老會的總頭目。沒有真憑實據，曾國荃不好處理他們，何況這個對朝廷滿肚皮牢騷的一等威毅伯，壓根兒就不想處理這些事。

一個月前，他接到大哥的信。信寫得很淒涼，說旦夕之間都有可能到九泉與星岡公、竹亭公聚會，請他和澄侯到江寧來小住一段時期，兄弟們最後見見面。家裏的攤子舖得太大了，簡直不可須臾離開家人，澄侯無法遠行，只得由沅甫做代表，前赴江寧看望大哥。

這天午後，曾國荃豪華的座船停泊在長江南岸繁昌縣境的荻港碼頭。曾國荃記得，十年前，他率勇乘攻克安慶之威，一舉拿下了繁昌縣城。舊地重遊，興趣頓生，遂帶著長子紀瑞及僕人王勇、熊强，離船上了岸。

當年那個威風凜凜、不可一世的九帥，而今沒有前呼後擁的衛隊，雖身穿價值千金的火狐皮袍，頭戴名貴的紫貂暖帽，也並沒有引起人們的普遍注意。主僕四人在荻港鎮上四處走走望望，只見田地荒蕪，市井蕭條，人們穿著單薄的舊衣爛襖，在寒風中抖抖縮縮地無所事事。看來「溫飽」二字對荻港鎮上大多數的百姓來說，還有一段遙遠的距離。曾國荃的心像壓著一塊石頭似的沉重，這就是他從長毛手裏光復十年之久的城鎮！比長毛佔領時的情景只有差沒有好。他信步走進一家小酒店，在那裏喝了幾杯酒。百姓手裏都沒有錢，農產品便宜得驚人。王勇、熊强兩人手裏滿滿地提著魚肉雞鴨，跟在主人背後回到船上。

吃過晚飯後，江面上已是黑漆漆的一片。江風吹打著浪濤，發出一陣陣渾濁的巨響，座船在水面上下浮動。曾國荃在船艙裏就著燈光，擁被讀書。時已深夜，船上所有人都已進入夢鄉，勞累一天的船工發出粗魯的鼾聲。看看燈油將盡，曾國荃伸了個懶腰，預備著脫衣睡覺。

突然，他從窗口看到岸上一列火把正向船邊走來。多年的軍旅生涯養成了他高度的警惕性。他立即掀被下床，穿好褲和鞋，注視著岸上。火把隊越來越近了，約有四五十人，中間雜夾著幾匹馬，還有一頂兩人抬的小轎。再走近十多丈的時候，曾國荃看清了：他們人人腰上都吊著一把長長的刀！「糟了，莫不是遇到了打劫的土匪！」他暗自叫苦，立即把船上的人叫醒，大家都嚇得全無主張。年過二十三歲，已娶妻生子的大公子紀瑞，從小就生活在富貴安寧之中，何曾見過這等場面，早已唬得躲進深艙，臉色發白，兩腳發抖。終於，舉火把的人都在船邊停下來，一個個頭上包著黑布，腰裏紮著黑布帶，在那裏七嘴八舌地亂喊亂叫。一個大漢從馬上跳下來，向前跨了幾步，四五個火把緊跟在他的身後。大漢對著船喊：「船老大，這是曾九帥的座船嗎？」

一連喊了幾聲，船老大不敢答腔，吩咐伙計們都準備好棍棒刀槍。曾國荃從窗口裏將大漢看了又看，似覺眼熟，便對船老大輕輕地說了幾句。

「你是什麼人？報上名來！」船老大走到甲板上，手握一根丈把長的楠竹篙，厲聲喝問。

「老大，煩你告訴九帥，我是原信字營營官李臣典的胞弟李臣章，多年不見九帥了，知九帥今夜船停在這裏，特為來拜訪。」那漢子高門大嗓地回答。

他真的就是榮封子爵、還未來得及接奉聖旨便不光彩地死去的李臣典的弟弟嗎？曾國荃把船老大叫進艙來，又對他指示一句。

「你說你是九帥的部下，有什麼憑據嗎？」船老大丟開楠竹篙，兩手捲起了一個喇叭筒，嘴巴對著喇叭筒喊。

「有！」回答很痛快，「老大，你躲開點！」

話音剛落，一道尺把長的黑影像條飛天蜈蚣一樣飛來，掉在甲板上，發出「蹦」的一聲響。船老大走過去拾起，原來是一把插在刀鞘中的腰刀。他走進船艙，把腰刀遞給曾國荃。一看刀鞘，曾國荃就知道，這是經過自己手發下去的腰刀。抽出刀來，雪亮的刀面上刻有兩行字：「殄滅丑類，盡忠王事。滌生曾國藩贈。」旁邊刻著編號：第壹萬柒千貳佰陸拾肆號。的確是吉字營舊部無誤！

原來，曾國荃打下安慶後，從大哥那裏將從壹萬號起的腰刀鑄造、發放權要了過來，由他一手支配。他的腰刀發放極濫，到了金陵攻下時，五萬吉字營官勇，幾乎有一萬人得了這種刻字腰刀，遂把一個極高的榮譽弄得很不值錢了，大大違背了曾國藩的初衷。

爲防止意外，曾國荃只放李臣章一人上船來。燈籠、蠟燭一齊點燃了，船艙裏燈火通明。李臣章上得船來，一眼見曾國荃威嚴地端坐在椅子上，忙趨前兩步，納頭便拜：「前吉字後營左哨哨長李臣章叩見九帥大人？」

「抬起頭來！」曾國荃命令。

李臣章把頭抬起。曾國荃這下看清楚了，果然是吉字營撤散前夕已授參將銜的哨長李臣章！在這裏見到舊部，也可謂他鄉遇故知了。曾國荃心裏高興，丟掉了剛才擺出來的威嚴表情，恢復了不拘禮儀的本色：「起來，讓九帥我好好看看你這個龜孫子！」

李臣章聽到這熟悉的帶著親暱色彩的謾罵聲，滿心高興，立即從船板上一躍而起，走到曾國荃面前，笑容滿面地說：「九帥，七八年沒有見到您老了，我們想死了。」

「你怎麼知道我在這裏？」

「午後有幾個兄弟在荻港鎮上見到您老。我聽到這個消息，就立即來了。」

「不錯，你還沒有多大變化，有三十了吧！」曾國荃抓著李臣章兩隻結實的肩膀，笑著問。

「已滿三十二歲，現在吃三十三歲的飯了。」李臣章的嘴巴咧得大大的，兩顆大虎牙很刺眼。

曾國荃又盯著他看了一眼，然後死勁地搖他的雙肩，見搖不動，便抽回右手，握緊拳頭，冷不防一拳打過去。李臣章微微晃動一下，立即又站得筆直。「好小子，還是當年吉字營的樣子！」

「九帥，您老的拳頭可沒有當年的力量了。」李臣章樂起來。

「第一次我哥帶我見您老的時候，一拳就把我打倒在地，半天爬不起來。」

「還記得那些陳穀子爛芝麻？」曾國荃哈哈大笑起來。「坐下，坐下好好聊聊，這幾年混得還不錯吧？」

李臣章挨著曾國荃身邊坐下。王勤端來兩杯茶。

「拿下去，不懂事的東西！」曾國荃大聲呵斥，「吉字營的勇士沒有喝茶的習慣，上酒！」

當王勤換上酒菜時，後面跟著驚魂剛定的紀瑞。

「科四，你來見見李哨長。」曾國荃抬起手來，指了指兒子。李臣章見他穿著考究，試探著問：「是少爺，還是侄少爺？」

「這是老大紀瑞。」

「哦，大少爺。」李臣章忙站起行禮，曾紀瑞也彎了彎腰。

「李老二。」喝了幾口酒後，曾國荃以過去軍營中的稱呼叫李臣章，「岸上是些什麼人，要不要送點水給他們喝？」

「不要了。九帥，」李臣章湊過臉去，嘻笑著說，「卑職特爲恭請您老到我家裏去住兩天，我有好多話要對您老說。」

「你家離這裏有多遠？」

「不遠，只二十多里。卑職爲九帥抬來了一頂空轎，先不知大少爺也來了，沒有多預備一頂轎，好在有幾匹馬，騰出一匹來讓大少爺坐。」

「好哇，到你家去看看。」這一路來船坐得太乏味了，換兩天口味也好。「紀瑞不會騎馬，就讓他坐轎，我騎馬吧？」

「那怎麼行？」李臣章忙說，「我到鎮上再叫一頂轎來。」

「算了，我有四五年沒有騎馬了，也想騎騎。」曾國荃揮了揮手，「走吧，你帶路，今夜上李府作客！」

六　前湘軍哨長與前太平軍師帥成了異姓兄弟

火把隊逶迤向南走去，李臣章和曾國荃並馬前進。路上，他把這些年來的經歷詳詳細細地告訴了老上司。

打下金陵沒有幾天，李臣典暴卒。他搶來的大量金銀財寶分別由幾個心腹保管著，也沒有來得及當面把這幾個人叫到跟前來，與弟弟作個交待。李臣章問他們要錢時，他們都矢口否認。這些錢財本不是李家的私產，幾天前還是長毛的，誰搶到手就歸誰，李臣章也不好大肆聲張，更不能告狀訴訟，只好忍氣吞聲算了。過幾天聖旨下來，李臣典封一等子爵，李臣章滿心歡喜找到曾國藩，說哥哥臨死前把他的兒子猴伢子過繼了，現在應由猴伢子承襲一等子爵。由繼子領賞的事，李臣典死前當面求過曾國藩，曾國藩也很憐憫，答應奏請。誰知李臣典的爵位不是世襲罔替的，朝廷不允。李臣章又空喜一場。

沒有多久吉字營裁撤，發了財的都急於回家當財主。李臣章的銀子被別人奪去了，哥哥吃春藥暴死的醜聞也漸漸傳開，他不想回原籍受約束，便拉了一幫子弟兄在江湖上闖蕩。雖說太平天國亡了，但長江兩岸這些年一直沒有安寧過，李臣章這班子兄弟在亂世中混得甚是得意。

這一天，他們來到繁昌縣境猛虎山。只見這裏人煙稀少，峻嶙連綿，林惡水冷，煙籠霧障。李臣章的弟兄們都慫恿他說：「不走了，就在這裏長期住下來，把它當作梁山泊，李二哥做山寨之主，我們都做個山寨頭領。」

正說著，山道上衝出一隊强人來約有五六十人。內中走出一個黑臉大漢，掄起一把金背大砍刀，凶神惡煞地高喊：「識相的，留下買路錢！」

李臣章對弟兄們笑道：「你們看看，這黑鬼倒問起我們的買路錢來了，豈不笑話！我們收拾他，佔山為王吧！」

說罷，兩支隊伍便在猛虎山下打了起來。雙方勢均力敵，打了半個時辰不分勝負。李臣章住手，說：「黑漢子，我好像認識你，你原是四眼狗的部下吧！」

黑漢子也停下，說：「我好像也認識你，你是曾鐵桶的部下吧！」

原來，在安慶攻守的一年多時間裏，李臣章和黑漢子多次交過手，故而認識，只是互不知姓名。李臣章說：「你眼力不錯，我正是曾九帥手下的哨長李臣章。」

那黑漢子也說：「我原是英王部下師帥瞿榮光。」

「我跟你打個商量吧。」李臣章突然換上笑臉說，「我現在不是湘軍了，曾九帥也開缺回老家了；你現在也不是太平軍了，你們的英王也早死了。我們作對頭的日子已經過去，現在都是流落江湖的好漢。人生就只有這幾十年，何苦結仇一世呢，我們乾脆交個朋友如何？」

瞿榮光是安徽人，咸豐七年投的太平軍，那時正是天京內訌之後，拜上帝會的信仰已在太平天國內普遍失去，打仗的目的已變為單純的升官發財求生存。瞿榮光雖在太平軍中達四年之久，且當上了中級軍官，卻並沒有多少革故鼎新的思想。安慶失守前夕，他捲帶一批金銀逃出城，後來糾集了幾十個逃散弟兄，在猛虎山落了草。這時見李臣章武藝高强，一班子弟兄能打善鬥，山寨正需要這樣的人，於是和李臣章各自捐棄前嫌，對天盟誓，結成了異姓兄弟。又給山寨重新取了一個名字，叫做雙義堂，即兩支人馬雙雙結義的意思。瞿榮光先到，當了大哥，李臣章坐了第二把交椅。學梁山好漢的樣子，也來個英雄排座次。只是實在英雄太少，勉强排了十八個。後來，人員漸漸增加。這些人中有遭災逃荒的農民，破產的小商販，失業的匠人，更多的是打鬥成性的兵。兵中有被裁撤的湘軍，有開缺的綠營，也有逃散的太平軍、捻軍。人員增加到二百多個，頭領也排到了二十六名。

「糟糕！」聽完李臣章的介紹，曾國荃心裏叫起苦來：「這小子當了綠林響馬，我怎能跟他進山？再說那個長毛出身的山大王，萬一要加害怎麼辦呢？」但事已至此，半途返回，又失去了昔日吉字營統帥的威風。曾國荃頗覺爲難。

「李老二，你這個龜孫子，早不說清楚，你要把我騙進强盜窩？」曾國荃沉下臉來訓斥道。

「九帥，您老莫誤會，我們不是强盜。」李臣章笑著解釋，「我們這兩百號人在猛虎山，依靠自己的本事是可以生活下去的。我們既不與官府爲敵，也不與鄉紳作對，只是遇到有走私的大鹽商和其他不義之財，才偶爾下下手，且手腳乾淨，外人都不知底細。何況您老是半夜進山，下次再半夜出山，誰人知道？」

「你那個拜把大哥，他靠得住嗎？」曾國荃問。他不自覺地按了按藏在皮袍子裏面那把德國造自動連發手槍。

「九帥，這個瞿大哥，您老就放一百個心。今天他聽說我請您老，滿口答應。他稱讚您老是個英雄，又說我們要好好巴結您老，日後萬一打起官司來也有個後台。下山時，他已吩咐殺牛宰豬，這會子怕早已準備好了。」

曾國荃心裏冷笑著，不再作聲。又走了幾里路，李臣章指著半空中幾堆篝火，對曾國荃說：「九帥，雙義堂裏燃起了歡迎的火堆，我們上山吧！」

山道上每隔幾十步，就有一個小嘍囉持著火把在那裏照明。

來到半山腰時，瞿榮光帶著十來個小頭領，正在那裏列隊恭候。李臣章老遠就喊起來：「瞿大哥，曾九帥來了！」

瞿榮光對著前面的轎子便要行禮，李臣章樂得哈哈大笑：「錯了，轎裏坐的是大少爺，九帥在這裏哩！」

邊說邊扶著曾國荃下馬。瞿榮光走上前來，說：「叩見曾九帥大人！」

一邊就要下跪。曾國荃忙扶起：「瞿大哥不必客氣。」

曾紀瑞走出轎，見四周都是黑黝黝的高山，風吹著樹木發出怪叫，火把下的漢子們個個面目猙獰，他又害怕起來，便瑟瑟地緊靠著父親身邊站著。衆人簇擁著曾國荃父子進了聚義館。大廳裏的柱子上到處插著火把，火把底下有五六張八仙桌，桌上堆滿用海碗裝的雞鴨魚肉，喝酒的杯子有茶碗大，桌邊的酒罎子有人的肩膀高。

瞿榮光請貴賓上坐。曾國荃騎了二十多里的馬，肚子也餓了，眼前的情景又使他想起當年吉字營夜宴的壯觀，不覺豪興大發，竟然和這些當今的梁山好漢們一起，大碗喝酒，大塊吃肉。吃得興起，他乾脆和瞿、李等人划拳賭輸贏。天將放亮時，雙義堂的人個個喝得酩酊大醉，曾國荃也被人扶進裏屋睡覺。只是大少爺曾紀瑞不習慣這種氣氛，不能多飲多喝，因過於疲勞，也倒床睡著了。

這一覺直睡到未初，曾國荃才醒過來，瞿榮光、李臣章早已恭候多時了。盥洗完畢，便陪著他觀看山寨。

昨天半夜上山看得不清楚，這下方才看明白，原來這猛虎山果真是山高林密，形勢險峻。通向雙義堂的僅一條小路，被幾道木柵石滾把守得萬夫莫開。間或在林木之間可見幾棟全是木頭樹皮蓋就的房子。瞿榮光說，那是弟兄們住的地方。遠遠地看見幾個女人在房子邊曬衣服，曾國荃奇怪地問：「山上有百姓住？」

「沒有。」李臣章答。

「那何來的女人？」

「弟兄們的妻室。」瞿榮光答。

「這些女人也願意到深山裏來？」

李臣章望了瞿榮光一眼，不好意思地說：「大半部分都是擄來的。開始我們不准，後來想沒有婆娘拴不住弟兄們的心，也就算了，只是叫他們不要搶有夫之婦，拆散別人的家庭。」

李臣章等著曾國荃的教訓，誰知九帥笑著說：「沒有婆娘，如何傳宗接代？不擄，又哪來的婆娘？」

李臣章想，過去九帥帶兵只問打仗，不問其他，現在依然這樣的通情達理。他覺得九帥這樣的統帥實在是好。瞿榮光見曾國荃如此態度，更是大出意外，不禁從心裏喜歡起來，說：「九帥英明！」

「砰，砰！」三人正說得高興，不遠處突然傳來兩聲槍響。曾國荃驚問：「這是什麼事？」

瞿榮光笑著說：「不要緊，這是弟兄們在圍豬，也許是遇見了老虎、豹子什麼的，一般的野羊、野兔，都射箭，不打槍。」

話音剛落，林子裏傳出一片歡呼聲。李臣章說：「剛才這兩槍打中了。」

三人沿著山道邊走邊看。前面一個小亭子裏，嘍囉們已擺好了酒菜。瞿榮光說：「請九帥在這裏小酌兩杯，大少爺那裏，我已安排人侍候了。」

「好，好。」曾國荃高興地答應。面對著崇山峻嶙喝酒談天，是他最愜意的事。

三人進了亭子，在木凳子上坐下來。曾國荃在二人陪勸下，開懷暢飲，談笑風生。瞿榮光看在眼裏，心想：「這個宮保伯爺的身上，書生氣只有兩分，綠林味道倒佔了八成，與傳說中的他的大哥相差得太遠了！」瞿榮光就喜歡這樣的人。他滿斟一杯酒遞給曾國荃，說：「我瞿榮光今天能在猛虎山與九帥相會，眞是三生有幸。日後九帥若有急難之事，只要一紙書來，我絕沒有二話！」

曾國荃聽了高興，說：「你們也都是豪傑之士，九爺喜歡與你們這樣的人交往。」

大家都喝得四五分醉了。曾國荃問：「你們就在這裏一輩子了？」

李臣章紅著眼睛答：「除非今後九帥要我們下山，不然，我們就在這裏快活一輩子。」

「你們兩百多人有刀有槍的，嘯聚山林，總不是好事，難道就不怕今後官府找你們的痲煩？」曾國荃畢竟不是綠林好漢，他從愛護的角度提出了這個十分重要的問題。

「九帥，你可能還不知道，光安徽一省境內，像我們猛虎山這樣的人馬，少說也有十起八起的，我們還只算小買賣，多的有五六百！」瞿榮光邊嚼雞腿邊說。

「官府也不要緊，有這個給他們！」李臣章笑著放下筷子，右手的拇指和食指合成一個圓圈。繁昌縣衙門上上下下我們都打點了，光縣太爺一人就給了五千兩銀子，他何苦得罪我這個財神菩薩。」

瞿、李的答話使曾國荃大爲吃驚：安徽的混亂一點不亞於湖南，大哥的吏治，看來也並沒有收到成效。湖南、安徽如此，其他省也好不了多少。官場上下成天喊什麼中興、中興，眞是笑話！

這時，一個嘍囉走進亭子稟報：「大頭領、二頭領，白眼狼回來了，事情辦得很順利。」

「知道了。過兩天，老子賞他個滿意！」瞿榮光揮揮手，嘍囉走了。

「你們又幹了什麼好事？」曾國荃笑著問。

「小事一樁。」瞿榮光給曾國荃遞來一條羚羊腿，說：「慶豐村有一個大戶，爲富不仁，鄉民們都恨他。白眼狠帶幾個弟兄綁了他一票，撈了一萬兩銀子，爲百姓出了口氣，又爲山寨撈了一筆錢。

「你們也要知道收斂一下，一味幹下去，鬧大了，不是繁昌縣令能遮掩得了的！」曾國荃啃著羚羊腿說。

「九帥，您老不是別人，我跟您老說實話吧！」李臣章右手抓起左手衣袖往嘴巴上來回擦著，弄得袖口油晃晃的。他正正經經地說，「九帥，這滿人的氣數已盡了，江山坐不久了，我們不怕它了。」

「你有什麼根據？」接話的曾國荃的態度是那樣的平靜隨和，彷佛他與血戰長毛，拼死保衛皇上江山的往事毫無聯繫，而是那種來自飛鷹嶺、蝙蝠洞、仙女峯上的好漢强人。瞿榮光頗覺意外。

「早兩個月前山上來了一個做生意折了本的小商人，他在北京做過半年生意，親耳聽人說，太后年輕，守不住寡，後宮裏常可聽見嬰兒啼哭，那是太后的私生子。又說小皇帝人還沒變全，就由太監帶著，偷偷溜出宮外逛八大胡同。九帥，您老看，這樣的太后皇上，是不是亡國的象徵？」

「不要亂說。」這些話，曾國荃早就聽說過，但由李臣章的口中說出，他仍感驚訝：這樣偏僻山坳裏都傳這種新聞，可見全國會有多少人知道！出於多年養成的習慣，他需要在一般人的面前維護朝廷的尊嚴。

「不是亂說，九帥。」瞿榮光嘻嘻地笑著：「那個兄弟講，北京的老百姓都知道。娘偷人，兒嫖娼，這樣的皇家還有什麼臉面，他的江山還能坐得久長嗎？弟兄們都說，更大的內亂馬上就要到來，天下大亂，我們就好過！」

「暫且不講京師的事。」李臣章說，「眼下明擺著的兩件事，就足可證明滿人混不長久。一是繁昌縣太爺，我們用五千兩銀子就買通了，這樣的貪官穩坐衙門。二是九帥這樣勞苦功高的大臣，卻受人排擠，開缺回籍。世界如此不公平，這難道不是亡國的預兆？」

這後一句正說到曾國荃的心坎上，他憤憤地罵起來：「這天底下盡是他娘的壞人當道，好人受氣！」

「正是這話！」李臣章忙點頭，「卑職想天下大亂後，一定是九帥和老中堂出來收拾殘局，到那時我們猛虎山全體弟兄都聽九帥和老中堂的。」

「我們都聽九帥的調遣。」瞿榮光立即接著說。

這時，曾國荃才明白李臣章深夜請他上山的眞正目的。他畢竟不是想與朝廷作對的綠林響馬，心中隱隱擔心起來。他漫聲應道：「行呀，一旦有事，我一定派人來猛虎山找你們。」

「弟兄們都仰仗九帥大人的提攜！」瞿榮光、李臣章一齊說。

三人又一起喝了一陣子酒，便起身離開亭子，又到一些關卡之地看了看。瞿榮光請曾國荃賜教，曾國荃也隨時指點一二。待到天黑時，曾國荃告辭，瞿、李苦苦相留。曾國荃說：「我有要事去江寧見大哥，二位情誼已領了，以後再相會。」

見實在留不住，瞿榮光捧出百兩黃金相贈，曾國荃謝絕了。於是李臣章捧出一個大布包來，說：「九帥不收黃金也罷，這包土產，請您老一定收下。」

「什麼土產？」

「布包裏有兩張虎皮，連頭到尾沒有損壞一點，是這幾年打得的兩隻老虎身上剝下的。原是留著我和瞿大哥用，現送給九帥一張，另一張請轉送給老中堂。還有一張灰狐皮送給大少爺，做一件坎肩。」

曾國荃打開布包，只見燭光下兩張金毛虎皮閃閃發光，心裏十分喜愛，笑著說：「謝謝你們的重禮，我和老中堂收下了！」

雙義堂大坪中停著兩乘轎子，前前後後簇擁著百多個手執火把的大漢，跟昨天夜晚一個樣。曾紀瑞見此情景，又膽怯起來，忙鑽進後面的轎子。曾國荃走到轎邊，對瞿榮光說：「只留四個弟兄舉火把照明，另請李老二陪同，其餘的人全部不要下山。」

「這怎麼行？太冷清了。」瞿榮光不同意。

「瞿大哥，你是要把我上猛虎山的事，讓繁昌縣官場都知道嗎？」曾國荃沉下臉來。

「不是這個意思，九帥！」瞿榮光急著分辯。

「既然如此，那麼請李老二帶路，我們下山吧。」曾國荃說著，掀帘進了轎子。

李臣章和四個小嘍囉把曾國荃父子送到江邊，天尚未亮。正要抱拳告別時，李臣章突然對他的老上司說：「九帥，我告訴您老一件意外事。」

「什麼事？」看著前吉字營哨長那副神祕的樣子，曾國荃興趣頓生。

「九帥，您老絕對想不到，康福沒有死，他還活在世上。」

「你說什麼？」曾國荃驚訝起來，「康福沒有死，你聽誰說的？」

「前不久，他還和您老一樣，在我們猛虎山做了幾天客。」

李臣章十分得意，一不小心就露出了曾國荃夜上猛虎山的事，令這個九帥大不快，好在船上的人都睡著了，聽不見。他沉下臉來訓道：「你這個龜孫子，九爺到你府上的事，以後若再對人提起，當心你的舌頭！」

李臣章下意識地伸伸舌頭，忙說：「一時忘記了，回去後就用線把這個鳥嘴巴鎖起來。」說著又做了個鬼臉。

「不要油腔滑調了，康福現在哪裏，你知道嗎？」

「他就住在東梁山腳下。」

「東梁山就在江邊，我去找他。」說完轉身上的了跳板。

曾國荃與康福的關係，雖不能與曾國藩與康福的關係相比，但也是很密切的。他感激康福幾次救大哥的性命，也看重康福的才幹，在打金陵的關鍵時刻，他甚得力於康福的幫助，何況他知大哥對康福之死惋惜不已，現在得知康福沒有死，且就住在長江邊，他怎能不去尋找！

「康福現已改名叫康伏，就住在玉溪橋，好找！」當曾國荃踏上甲板時，李臣章又大聲作了補充。

七　康福隱居東梁山

康福的確沒有死，他還活在這個世界上。近乎傳奇般的故事，還得從他中彈倒下時說起。

原來，李臣典的槍法並不好，又加之心懷鬼胎，開槍的瞬間手抖了下，從胸部移到了肩膀，康福的右肩胛骨被打斷，血浸透了他的上衣。就在他昏迷不醒的時候，李臣典指揮湘軍如虎似狼般地衝向金龍殿。在他們的眼裏，金龍殿裏堆滿了黃金白銀、珍珠瑪瑙，甚至宮殿中的一切皆是金玉所製，包括日常的用具，還有那些鏤花窗櫺和刻龍楹柱……他們的心中湧出一股瘋狂的亢奮，毫無任何顧忌地將所有拿得動的、值錢的東西劫爲己有。殿外的烈火仍在沖天燃燒，殿裏則混亂得昏天暗地：無價之寶被魔掌打碎，藝術珍品遭鐵蹄踐踏，爲了爭奪一顆珍珠、一個元寶，剛才還是弟兄，此刻卻刀刃相見，砍斷的手臂、戳死的屍體遍地皆是，狼籍相枕。這些年來，以戰功震懾天下的湘軍，在這裏演出了它組建以來最醜惡的一幕，同時也將他們的可恥追求暴露無遺！看看搶得差不多了，李臣典命令每人向殿堂裏扔一個火把，他要把這座已打劫一空的金龍殿乾脆燒掉，不給他們的罪惡留下痕跡。

從金龍殿裏湧出的巨大熱浪把康福烤醒了，但他爬不起來。他眼睜睜地看著這樣一座壯麗非凡的宮殿毀於烈火之中，眼睜睜地看著自己的弟兄搶奪戰利品的醜態，腦子裏又浮起李臣典手拿短槍臉露獰笑的凶相，他的心如刀絞劍剁般的痛苦。正在這時，一個扛了只鎏金馬桶的湘勇，喜氣洋洋地從他的面前走來，一隻腳恰好踩在他的傷口上，一陣錐心的劇痛又使他暈死過去。

康福再次醒來的時候已近淩晨。中旬的月亮大而明亮，月亮下的人間世界，卻是一片慘不忍睹的場景：金龍殿的大火仍未熄滅，遠遠近近到處是屍體、刀矛，被大火燒焦的屍骨發出令人窒息的臭氣，喧鬧聲已經過去，活著的人都困乏得睡覺了，人世死一般的寂靜。康福覺得傷口的血已經凝固，痛楚減輕了些，他試圖掙扎著起來，剛一動，右腿便出現一陣劇痛。原來，就在他昏迷倒地的時候，後面的湘勇不但無人扶起他，反而有好幾個人踩著他的身軀衝向金龍殿，右腿便是這時被人踩斷的。康福氣得用手捶打大地。捶打一陣後，他平靜下來，心想：等天亮後再說吧！他艱難地轉動著身子，將俯臥換成側躺，覺得舒服點。他的臉朝著月亮，微微地閉著眼睛。

不知什麼時候，有一隻手觸著他的鼻孔。他睜開眼睛，發現身旁蹲著一個人。那人問：「大哥，你是不是姓康？」

「我是姓康。」康福很高興，他猜想這一定是一位湘軍弟兄。

「你叫康福嗎？」

「對，我就是康福！兄弟，你是哪位？」康福想：這下好了！

「你傷在哪裏？」

康福指了指左肩膀，又指了指右腿。

「我背你。」

那漢子背起康福，走到旱西門時，正好遇見一匹嚼草料的驃壯戰馬，旁邊一個軍官模樣的人仰天躺在地上呼呼大睡。漢子暗喜，解開韁繩，先把康福扶上馬背，然後自己再跳上去，使勁在馬屁股後面一拍，戰馬奮起四蹄，向前飛奔，一眨眼便穿過旱西門。那人策馬向西，沿著長江邊的古道，揚起一路紅塵。

「兄弟，你要把我帶到哪裏去？」康福在前面驚問。

「大哥，你放心，我不會害你，到一個合適的地方就停下來。」那人在後面回答。

眼看離江寧城越來越遠，康福並不留戀。就在第一次蘇醒時。眼前的一切重重地壓抑著他的胸膛，腦子裏響起了那夜弟弟的叮囑：「哥哥，打完仗後你就解甲歸田吧？」他斷然作出了決定：一旦傷好後便立即離開湘軍。現在正好借這位兄弟的力量去達到目的。

這眞是一匹難得的駿馬，它馱著兩條漢子，並不感到沉重。將到黃昏時，眼前出現一座層巒疊嶂的大山。康福認出，這是安徽當塗縣內的東梁山。他對那漢子說：「兄弟，我們不走了，就在這裏停下來吧，我曾經在此地住過一段時期，山裏有許多好草藥，我要在這裏養傷。」

「行。」

那漢子跳下馬，牽著韁繩，向山中慢慢走去。山風吹來，被熱汗浸了整整一天的他們感到通體舒服。一路訪查，最後看中了一戶封姓人家。封老漢今年七十二歲，老伴六十五歲，無兒無女。老頭一世行醫，慈面佛心，悲天憫人。一圈竹籬笆圍住五間茅草房，後園一半種蔬菜，一半種草藥。那漢子對老漢說，他們是表兄弟倆，外出做生意，不幸遇著歹人，打傷了表兄的肩骨和腿，請求老大爺收留住下來，並幫表兄治骨養傷。說完又從黃包袱裏拿出一錠五十兩銀子的大元寶來。封老漢沒有收銀子，卻滿口答應他們的要求。當夜，老倆口治蔬具酒，像對老友一樣的款待他們。吃完飯後，用草藥給康福洗淨傷口，又給他的左肩和右腿敷上兩個厚厚的藥包。康福躺在床上，傷痛似覺消失殆盡。

「兄弟，你叫什麼名字，是哪營那哨的？為什麼要帶我離開江寧？」康福問那漢子。這一天來，他一直想問，只是一則坐在馬背上奔跑，談話不便，二來自己氣力不濟，不能多說話。現在，他不能不問了。

「康大哥，我是什麼人，你是絕對想不到的。」那漢子坐在他的床邊，笑笑地說：「我不是你的湘軍弟兄，我是你的對手，一名太平軍軍官。」

「這是眞的？」康福大驚，若不是腿已斷，他會從床上一躍而起。

「是眞的。」那人早有所備，對康福的驚訝一點不介意：「康大哥，你聽我慢慢講。」

原來，救出康福的這個漢子，正是當年在寧鄉小飯鋪看曾國藩寫字的那羣太平軍中的一個，後來奉韋卒長之命送狗肉給曾國藩、荊七吃，又拿紙筆來要曾國藩謄抄告示的那個細腳仔。他當時只有十五六歲，是太平軍中數千名童子軍的一名。康福因去看望表姐，錯過了與他見面的機會，但他的弟弟康祿投靠太平軍時，恰恰投的便是韋卒長的部隊，編在細腳仔一個伍裏。細腳仔從懂事起就不知他的父母是誰，他是在乞丐堆裏長大的。太平軍埋鍋做飯，他到大鐵鍋前討鍋巴吃。韋卒長見了可憐，收他當了名童子軍，問他叫什麼名字，他答不出。大家見他兩只腳長得比別人的手臂還細，都叫他細腳仔。

細腳仔投軍三個月後，遇到了康祿。小家伙最是單純熱情，對康祿很關照。一路行軍過程中，又將三個月來在太平軍中所學到的關於拜上帝會、均貧富等理論，以及民族大義等等講給康祿聽。雖然細腳仔的知識膚淺，但他對太平軍的感情深厚，那些膚淺的道理出自於他的帶有濃厚感情色彩的嘴中，給剛投太平軍的康祿以深刻的印象。康祿比細腳仔大幾歲，又武藝高強，細腳仔對他很尊敬。後來，康祿不斷遷升，細腳仔一直跟在他身邊。直到康祿當了楚王，細腳仔還是以總制的官銜充當他的親兵。關於康福的一切，細腳仔都知道。天京失落的前夕，康福進楚王府勸弟弟，隔壁窗外，細腳仔把康福看得清清楚楚，兄弟倆的對話也聽得清清楚楚，他從心裏對楚王崇仰不已。天京外城攻破後，細腳仔沒有重傷，本可以逃出城，但他沒有這樣做。他要和楚王一起，與受傷的五千烈士自焚殉國，用一死表達他對信仰對友誼的忠誠。但康祿想得更遠。就在康福帶領湘軍衝進太陽城的前一刻，康祿把細腳仔叫到跟前，交給他一個黃緞子包袱，沉重地說：「兄弟，你年紀輕輕，又沒有重傷，不要走這條路，往後還有更重的擔子要你承擔。」

「王爺有何吩咐？」望著已瘦成骷髏似的楚王，細腳仔心情異常沉痛。

「你帶上這個包袱，趁著清妖搶金龍殿財物的混亂時刻，衝出天王宮，逃出天京城，然後設法回到廣西去。」

「王爺，我不逃走，我要跟你和弟兄們一起殉國。」細腳仔嘶啞著喉嚨說。

「兄弟，你聽我說。」康祿把手搭在細腳仔的肩上，饑餓和勞累已把這條鐵漢子折磨得有氣無力了。他深深地吸了一口氣，低沉地說：「天王宮馬上就要落到清妖的手裏，天京城即將全部陷落。忠王保護幼天王出城，看來凶多吉少。各地雖說還有二十萬弟兄，但依我看，憑他們來復興天國，指望不大。我冷靜地想過，天國的失敗，不在人少兵少，而在人心已失。為何會失去人心，我曾經和你說過多少次了，今日事情危急，不能再細說了。天國後來的發展雖令人痛心，但老天王起義之初，對兄弟姐妹們講的道理卻是對的；正因為對，才會有我天國初期的人心歸向，紅紅火火。天國暫時是失敗了，天國的理想在兩廣仍然深入人心。古人說得好：野火燒不盡，春風吹又生。只要時機成熟，天國的大旗又會在兩廣樹起。莫看清妖現在得手，它的氣數已盡，撐持不了多久。你還只有二十幾歲，人生還剛剛起步，又在軍中十多年，太平軍的一切都已洞悉，正是今後辦大事的豐富歷練。包袱裏有老天王早期傳道的幾本書，還有《天朝田畝制度》和《資政新篇》，這些都是我天國最重要的文獻。另外還有我給老天王寫的一個條陳，裏面講了十多年來天國的一些重大失誤，不料剛抄好，老天王就升天了。兄弟，你回到廣西後，要認眞讀通這些文獻，以老天王當年傳道的精神，宣傳天國的崇高理想，吸取這次失敗的教訓，重新把父老鄉親團結起來，把清妖推翻掉，實現老天王的願望。」

「王爺，我聽從你的命令！」細腳仔意識到這個使命的偉大，他決心挑起這副異乎尋常的重擔。

「好，你是我的好兄弟！」康祿將腳下磚縫裏的一根細草扯出，放在口裏嚼了幾了，嚥了下去，又說：「包袱裏有十個大元寶，供你沿途和回去使用，還有我剩下的三枚飛鏢，你替我收藏，今後若有機會，你把它交給我的哥哥。」

「王爺的哥哥就在清妖軍營裏，我一定能找到。」

「不，你暫時不要去找他。我的哥哥是個好人，我相信他不會在清妖軍營裏呆得很久，他總有一天會覺醒回家。過了七八年後，你再到我的老家去找他就行了，你現在重要的是趕快離開天京，離得越遠越好。」康祿又拔起一根細草嚼著，振作精神說：「我無妻無兒，哥哥的兒子就是我的兒子。你對我哥哥說，待侄兒長大後，把這三枚飛鏢送給他，讓他知道在這個世界上，他曾經有一個叔叔。」

康祿說到這裏，不覺眼圈紅了，他趕緊停住：「情形危急，不能多說了，你趕快去剃頭換衣。」

細腳仔剃去滿頭長髮，只留一條辮子，又穿上一件普通百姓的長褂。當他背起包袱，再次來到楚王身邊時，湘軍已衝進金龍城內，將金龍殿團團包圍了。正在這時，康祿驚奇地發現帶兵的將領，正是他的胞兄！他遠遠地指著康福對細腳仔說：「我的哥哥就在那裏。」

細腳仔順著手勢看去，不錯，正是那夜潛入楚王府的漢子。柴堆點火後，細腳仔含著眼淚，偷偷地鑽出火圈。很快，他看到康福中彈倒下了。出於對楚王的敬仰和對楚王囑託的忠誠，細腳仔決定：只要康福沒有死，就要救起他，把他遠遠地帶出天京城！太平軍的忠貞總制，不顧自己上司的哥哥長久充當清妖的走狗！

「你把飛鏢給我看看。」當細腳仔說完這段經歷後，康福感動地說。

細腳仔打開黃緞包袱，將康祿留下的三枚飛鏢鄭重交出。康福看著這枚刻有「祿」字的精鋼飛鏢，不覺淚眼模糊了。

飛鏢是康門絕技。一般飛鏢都是一枚枚地發，康家的飛鏢是三枚一組，可以三枚同時發出，也可以一枚接一枚地單發。康福兄弟倆自五歲起，識字之餘，父親就教他他練拳腳，八歲開始練刀棍，十歲開始練飛鏢、下圍棋。康福十五歲時，父親去世，弟弟那年剛好十歲，因此弟弟的飛鏢和圍棋全是哥哥傳授的。那一年，下河橋來了個手藝精巧的鐵匠，康福請他為兄弟倆各打五組飛鏢：柳葉鏢、梅花鏢、蒜條鏢、銅錢鏢、三角鏢，每枚飛鏢上都分別刻上「福」「祿」二字，兄弟相約，不到萬不得已時不使出飛鏢。十多年過去了，康福僅用去兩組，康祿就只剩下這一組了。這是一組梅花鏢。當年打造飛鏢的情景仍歷歷在目，而弟弟卻永遠見不到了。

從那以後，康福和細腳仔就在封老漢家住下來。老漢三頭兩日進東梁山爲康福採藥，老太太則常常蒸雞熬魚湯給他補養身子。平時，細腳仔時常談他的天國理想，封老漢則時常罵朝廷和官府。康福對自己十多年來的經歷，暗自作過多次反省，慢慢地他的認識越來越深刻了。

受父親和環境的影響，青年時期的康福抱定的人生宗旨，是忠君敬上，依靠自己的本領正正經經地走一條出人頭地、光宗耀祖的道路。正因爲這樣，他才追隨曾國藩，希望在曾國藩的提攜下重振康氏家風。太平軍反抗朝廷，他認爲有悖綱常，毀孔孟像燒詩書，他更不能接受，因而他全力支持曾國藩建湘軍，並成爲湘軍中的重要人物，他以爲他走的是條建功立業、爲祖宗爭光的康莊大道，並無數次地爲弟弟失身於太平軍而惋惜。那夜弟弟的一番宏論，眞使他有振聾發聵之感。他第一次發現，弟弟才是眞正的英雄，相形之下，自己的確猥瑣。不久前那一幕史無前例的畫面，將他的心靈震蕩得如同山在搖動，海在翻滾，世上居然能有如此衆多至死不悔、視死如歸的人傑！如果不是有一種崇高的信仰在支持，如果不是堅信自己的事業是正大光明的，如果不是對敵方有著不共戴天的深仇大恨，怎麼可能會有這樣慘烈的場面出現！

作爲一個正直的讀書人，康福由此產生了對太平軍的重新認識，並由此懷疑自己所作所爲的正確性。他始終不能明白在勝利得來的最後一刻，李臣典爲什麼要致他於死地。後來，他聽到李臣典因第一個衝進天王宮的功勞榮封子爵，才恍然大悟。人人都有賞賜，唯獨沒有他康福的分，縱算是眞的死了，也應當有撫恤呀！康福心裏第一次產生了不滿。他開始覺察到，多年來他所崇拜的偶像其實是一個薄情寡義的人。不久後傳來的消息，則又將這具偶像在他的心中徹底擊碎了。

那是在康福的右腿基本康復後，一天他散步來到長江邊，正遇到一大批從江寧城裁撤回籍的湘軍。這些湘軍不認識他，他卻有心和他們閑聊。被裁的湘軍中有一個恰是跟著趙烈文去廬州擒拿韋以德的人，他將曾國藩如何強加韋俊叔侄謀反罪名，借他們的頭强行裁軍的過程，詳詳細細地告訴了康福。康福聽後心裏難受了好多天。韋俊投降，是康福去勸的；當韋俊對投降後的處境有顧慮時，又是康福以自身的人格擔保，並拿出曾藩國的詩來爲證。曾國藩的詩寫得有多誠懇：只要韋俊投誠，朝廷會像當年漢高祖對待韓信、唐太宗對待尉遲敬德那樣對待他，今後在凌煙閣上爲他繪像留名。後來，曾國藩又當著康福和韋俊叔侄的面，再次表明這個態度。四五年來，韋俊叔侄一直爲朝廷出死力，打硬仗，想不到江寧打下後，不但沒有爲他們請功求賞，反而要用殺他們來達到威脅別人的目的。康福記得有一次，韋俊不安地對他說，韓信最終還是被呂后設計殺了，「漢祖曾聞韓信勇」這句詩有點不祥。康福安慰說，不要多疑，韓信後來被殺，乃是由於他策劃陳豨謀反，咎由自取。從劉邦的角度而言，他對韓信是重用不疑的。話雖是這樣說，但韋俊心裏總不踏實。難道說，曾國藩當初就對韋俊埋下了殺機嗎？這個理學名臣一向標榜誠與信，而他的內心，實在是深不可測，至少對韋俊叔侄來說，用「背信棄義、殘忍刻毒」來評價他，是毫不苛刻的。

康福懷著對韋俊、韋以德的深重愧疚，在東梁山下哭泣祭奠。冥紙在火中焚化，十多年來對曾國藩的情誼，也同時化為飛灰。他想起送給韋俊的康氏傳家之寶——田妃娘娘的圍棋子，現在不知下落如何了，很可能就這樣不明不白地永遠丟失了。他很痛心，覺得對不起列祖列宗。

這年冬天，康福左肩和右腿兩處重傷全部好了。他和細腳仔向封家老倆口道謝辭別，並捧出一百五十兩銀子酬謝。封老漢堅辭不受，並說：「半年來，我看出你們倆都非等閑之輩，我們交個忘年朋友吧！」封老漢的高誼，令兩條漢子感動。

在西上的船艙裏，細腳仔多次勸說康福和他同去廣西，為天國的復興培養人才。康福一再婉言謝絕了。他改變了對太平軍的看法，也改變了對曾國藩的看法，但他還是不願意走上背叛朝廷、扯旗造反的道路。他對細腳仔說，下半生再也不參與世事了，要把康氏家風傳給兒子康重，讓康重兼祧叔父。到了沅江後，康福留細腳仔在家中住下。他自思在沅江住久了，必會爲舊時袍澤所知，要不參與世事是不可能的，最妥當的辦法就是賣掉田產，攜眷外出。他想起封家的深恩厚德，又憐他們年老無後，遂決定遷居東梁山下，和封家老倆口住一起。

康福賣掉了房產田地，共得五千兩銀子。爲答謝細腳仔的救命和護理之恩，他送三千兩給細腳仔。細腳仔思量回家後要辦大事，便爽快地收下告辭了。

在一個漆黑的深夜，康福帶著妻子田氏和七歲的兒子康重，悄悄離開沅江下河橋。一路搖櫓張帆來到東梁山封家，封氏老倆口接著康福全家，又驚又喜。康福將一切都告訴了封老漢，說從此定居這裏，改名康伏，以示隱伏之意，並承擔老倆口的養老送終。老倆口歡喜無盡。康福在玉溪橋建了十間草房。從此，他跟封老漢學醫採藥，教子讀書、練武功、下圍棋，日子倒也過得安閑。有一天在長江邊，被路過的李臣章認出，硬拉著他到猛虎山玩了兩天。康福叫李臣章千萬不要對人說起，李臣章謹遵諾言，只是在曾國荃面前，他再也保不住這個秘密了。

曾國荃在東梁山碼頭，帶著兒子紀瑞和僕人王勇上了岸，問了一個行人後，便很容易地找到了玉溪橋康家。

這是一處環境優美的地方。連綿高聳的東梁山，以它巨大的體魄擋住了外部世界的紅塵喧囂，將一片寧馨幽靜的氣氛送給這一帶的農舍田莊；蜿蜒細長的玉溪從山谷間流出，溪水清澈見底，猶如玉液瓊漿一般令人可愛，一座半圓形拱橋橫跨其上，橋墩上時見野藤蔓枝，益發襯托出石拱橋的蒼勁與高齡，一個牧童倒騎在牛背上，從橋頂款款而下，爲靜謐的氛圍增添了幾分生趣。就在拱橋旁邊，一道矮矮的竹籬笆牆圍著十來間茅瓦交錯的房子。後院裏，冬日溫暖的陽光下，一個鬚發銀白的老者和一個十四五歲的少年，面對面在屏息靜氣地對奕。曾國荃要王勇暫勿敲門，他們一行在牆外偷偷觀看。只聽見一個清脆的棋子落盤聲響過後，老者哈哈大笑起來：「你又輸了，這次總沒得話講了吧！」

那少年站起來，眼睛盯著棋盤看了許久，終於扔下手裏的幾個白子，說：「封爺爺，這次我眞的認輸了。」

「好哇，終於說出『認輸了』三個字，不容易呀，太陽從西邊出來啦！」老漢仍然樂呵呵地笑著說。

「封爺爺，我要再跟您下三盤。」看來那少年往日的犟脾氣又發了。

「再下三盤可以，不過你說的話要算數，輸了要玩個把戲給封爺爺看，玩過把戲後再和你下。」

「好，玩就玩！」

少年說完，從旁邊一株小樹枝上取下一個鳥籠來，放在棋盤上，籠子裏裝著三隻灰色野鵓鴣，他把籠門打開。

「小重子，快把門關好，鵓鴣會飛走的。」封老漢在一旁急道。

「我就是要它飛走！」

說話間，三隻灰鵓鴣都鑽出籠外，展翅高飛起來。只見那少年不慌不忙，從口袋裏取出三枚梅花鏢來，在手心裏排列了一下，然後叫一聲「去」，三枚鏢一枚接一枚地從手心裏飛出，直向鵓鴣追去。眨眼功夫，三隻鵓鴣一隻接一隻地墜落下來，身上都插著一枚小小的梅花鏢。

「好鏢法！」籬笆牆外的曾國荃不禁脫口叫起來。

「誰在外面偷看？」在老者俯身拾鵓鴣的時候，少年循聲來到圍牆邊。

「小英雄，你讓我們進來一下好嗎？」懷著一股極大的讚賞之情，曾國荃滿臉堆笑地問。這樣的笑容，通常在這個「鐵桶」九帥的臉上很難見到。

「你是什麼人，爲什麼要進來？」少年似乎不受他這臉笑容的影響，高聲責問。

「我們是從很遠的地方來的，想向你們打聽一個人。」

「封爺爺，你說開門讓他們進來嗎？」少年拿不定主意，轉臉問老者。

「既是遠方來的客人，就讓他們進來吧！」老者和善地說。

「那你們就進來吧。」少年說完，跑到門邊。把竹製的大門打開了。

老者請曾國荃一行進客廳裏坐，又親手給他們一一斟上茶。

「客官剛才說要打聽一個人，他叫什麼名字？」老者問。少年站在他的身後。

「他叫康伏。」

「你們找康伏？他是我爹爹！」少年忙歡喜地答腔。

「你就是康伏的兒子？」曾國荃欣喜地望著少年，很是高興，又問老者，「老伯伯，你是——」

「他是封爺爺，我爹爹的大恩人。」少年又搶著說。

老者慈愛地說：「他叫康重，康伏的兒子，機靈的調皮鬼。」

「我爹爹不在家，到武當山找朋友去了。」康重又大聲說起來。

「不在家？」曾國荃頗覺遺憾，「幾時回來？」

「說不定，少則半個月，多則二十天。」封爺爺答，「請問先生，你找康伏有事嗎？」

「我是康伏的朋友，有好幾年沒有見面了。找他也沒有什麼大事，路過這裏，上岸見見他，隨便聊聊。」曾國荃說，「封老伯，康伏這些年還好嗎？」

「好，好！」封老漢笑著說，「康伏一年四季都住在這裏，不大出門，讀讀書，下下棋，教育兒子，也天天與老漢天南海北地瞎聊。」

曾國荃想康福既然不在，且自己又必須盡快趕到江寧，遂道：「封老伯，借你一張紙和一枝筆，我給康伏留幾個字如何？」

「行。」封老漢剛開口，康重便一溜煙跑進屋，一會兒拿出全套筆墨紙硯來。曾國荃展開紙寫道：

康福仁兄：欣聞你尚活在人世，拜訪不遇，當謀下次再會。大哥病重，我特爲由湖南去江寧看望。韋俊伏法後，康氏祖傳之棋已由大哥珍藏。能與仁兄再來一場飲酒圍棋，眞人生快事一件！沅甫頓首於玉溪橋康府

盡管這個赫赫九帥名滿天下，東梁山下的封老漢和康重卻並不知沅甫爲何人。老漢叫康重將紙折好收下，待爹爹回來後即交給他。曾國荃看著這個聰敏的少年，心裏歡喜不已，想著要送件東西給他作個紀念。在身上摸了摸，又找不出一件合適的物品，正引以爲憾時，猛然見胸

前垂下的圍巾，他立即取下來。這是一條用二十隻火狐狸腋毛皮製成的大圍巾，當年以九百兩銀子派人從京師購得。他毫不猶豫地將圍巾遞給康重：「小重子，伯伯送給你，你收下吧！」

康重伸過手接著。那圍巾異乎尋常的柔軟，彷彿裏面藏著一個火源似的，不斷地發出溫暖的熱氣來。康重從來沒有見過這麼好的東西，剛要收下，又記起父親一再告誡的話，於是把圍巾遞過去：「我爹爹講的，不能要別人的東西。」

曾國荃哈哈笑起來，說：「別人的東西可以不要，我這個伯伯的東西，你非收下不可。待你爹爹回來後，他會告訴你的。」

康重又轉臉看著封爺爺。老漢說：「客人既然這樣說，想必是你爹的至交好友，你先收下，以後交給你爹。」

封老漢竭力挽留曾國荃一行在家吃飯，他哪裏肯留下，遂告辭返回船上。

八　左季高是真君子

曾國荃父子一行到達水西門碼頭時，江寧城已沉浸在一片震耳欲聾的鞭炮聲中了。各大商門、商號，以及有錢人家的大門口，早已張燈結綵，裝點一新。從他們那高高的圍牆裏傳出的不只是爆竹的鳴響，還有各種誘人的香味和悅耳的管弦之聲，以及能使滿天雪花融化的熱氣！同治十年即將過去，楹柱上的舊桃要換新符了。人們在祭神祭祖祭天地，祈禱著新的一年裏，在祖宗神祇的保祐下升官發財，闔家吉祥，平安順暢，事事如意。

乍看起來，江寧城是繁華的，安寧的，尤其是那秦淮河的畫舫絲竹，夫子廟的百業雜耍，胭脂巷的紅男綠女，貢院街的肥馬輕裘，更把這個六朝古都點綴得溫柔富貴、風流旖旎。細看卻不然。不用說城外那些燒磚的破窰裏，低矮的土地廟中，城牆邊一個接一個用舊席爛板搭成的小窩棚裏，就在城裏的屋檐下、橋墩下，以及那些形形色色的破爛棚子裏，不知蹤縮著多少奄奄一息的飢民乞丐、逃荒流浪者。他們面黃飢瘦的臉孔，深凹失神的眼睛，用蔴袋樹皮裹著的身軀，還有那就在他們不遠處躺著的一具具凍僵的餓殍，把江南第一城的繁華表象撕得稀爛，把同治中興的童話揭露無遺！

江寧城裏地位最高的衙門——兩江總督，迎來了它復建之後的第一個新年，本該盛妝濃抹、熱熱鬧鬧地慶賀一番，但由於它的主人素來儉樸，更因他在年前到城裏城外巡視了一遍，親眼見到「朱門酒肉臭，路有凍死骨」的情景展現在他的治下，心情異常沉重。他吩咐家人只在大年三十夜晚和初一早上放兩次鞭炮，其他日子一概不放，酒肉果品不可過豐，全家老老少少一律不做新衣，略比平日乾淨整齊點就行了。大門口除懸掛四個大紅燈籠表示吉慶外，所有一切與往日無異。

因九弟的到來，曾國藩的心情異常興奮，接連長談了兩個夜晚。曾國荃將在猛虎山上作客的一節暫時不提，先告訴他康福的消息。

「康福還活著？」曾國藩驚喜萬分，接著又喃喃自語，「那年打掃戰場，一直不見他的屍身，我便存著一線希望：莫非康福沒有死？果然現在還健在，眞是天祐善人！」

曾國荃把去東梁山訪康福不遇，見到其子，留下字條一事簡略地說了一下，又將康重著實誇獎了一番。

「你怎麼會知道康福隱居在東梁山呢？」康福還活著，給重病中的曾國藩很大的安慰。

「我在荻港碼頭上偶遇吉字營一舊部，聽他說起的。」

「哦！」曾國藩沒有再追問下去了，他兩眼望著燭光出神，好似在回憶與康福相處的歲月，好長時間才輕輕地說了一句，「不知康福什麼時候從武當山回來，我眞想有生之日再見他一面，我虧欠他的太多了！」

「這個容易。」曾國荃說，「過段時間派人把他接到江寧城來就行了。」

也許是興奮過度的緣故，曾國藩的舊病又發了：頭昏眼花，右脚痲木，耳鳴不止，一連幾天不能開口說話。同治十一年大年初一，曾國藩在僕人攙扶下，勉強出面，接受江寧文武的祝賀，並率領大家望北向太后、皇上叩拜。儀式剛一結束，便又臥倒床上。江寧官場新年互拜的閑聊中，都免不了一個重要話題：宮保曾侯病情嚴重。大家嘆息著，說過去的軍營太艱苦了，這些年的公務又如此繁重，任是鐵人都難以支撐。也有人悄悄議論：老中堂的病主要來源於前年的津案，「外慚清議，內疚神明」，這種心靈深處的悔恨所造成的痛苦，要比勞累給人的傷害強過百倍。

兩江總督衙門更是籠罩著一片陰雲。歐陽夫人夜夜對著祖宗牌位默默禱告，祈求祖宗在天之靈保祐夫子早日康復。歐陽兆熊帶著幾個名醫天天進府診視。前年曾國藩在天津時寫信要兒子做棺材，紀澤兄弟不忍心做。眼見這次情形嚴重，紀澤悄悄地跟九叔商量，要不要把壽器先做好，並說有現成的建昌花板在。曾國荃想了一下，說：「遲早要做的，現在就做吧。」於是督署東側幾間雜房裏，三個木匠開始敲敲打打了。

到了初七後，曾國藩病勢漸有好轉，頭不暈了，能吃點稀飯了，便掙扎著起來，把前幾天的日記一一補上。剛寫了幾頁字，又覺得累了，只好閉著眼休息。略歇一會，感覺到好了一點，便又拿出一本《理學宗傳》來閱讀。

「大哥，我給你一樣好東西！」曾國荃走了進來，一隻手放在背後，臉上洋溢著欣喜的光彩。這一瞬間，使曾國藩想起三十年前，跟著他在京師讀書的那個十七八歲九弟的神情。「有人給你寄來一封信，你猜猜是誰？」

「給我寫信的人成百上千，我哪裏猜得出！」看著九弟這副高興的模樣，做大哥的也受到了感染，乾枯多皺的臉上略露一絲淺笑。

「你絕對想不到，是左老三從西北寄來的。」曾國荃躲在背後的手高揚起來，兩個手指夾住一個長大的信封。

「是左季高的信？」突然之間似乎頓生力量，曾國藩竟然站了起來。「快給我看！」

不能怪曾國藩太激動。這個在西北戰場上建立赫赫戰功的老友，自金陵攻克之後，已整整八年沒有來信了。盡管曾國藩曾主動給他寫信表示友好，盡管有關西北的糧餉，曾國藩一粒不缺、一文不少地準時發出，盡管應他之請，將湘軍的後起之秀劉松山派出支援，左宗棠始終沒有一紙親筆信給曾國藩，寄來的函件全部是冷冰冰的公文。這些年來，每當想起湘軍創建之初，左宗棠所給予的大力支助，尤其是靖港敗後欲再度自殺的那個夜晚，左宗棠一席與衆不同的責罵所起的巨大作用，曾國藩就覺得對左宗棠有所虧欠，甚至連左宗棠罵他虛僞——這對一向以誠自命的曾國藩來說，是傷透了他的心——他也能予以體諒寬容。不過，左宗棠的倔脾氣，曾國藩是知道的，實在要犟到一頭去，自己也無能耐拉回來。現在，這個英雄蓋世的今亮居然萬里迢迢地寄來了私函，信封上端正地寫著「曾滌生仁兄親啓」，跟道光、咸豐年間一個樣，曾國藩不覺油然而生親切感。

他拿起剪刀，小心翼翼地剪開信套，裏面跳出左宗棠勁秀兼備的字跡。他擦了擦眼睛，然後抖開紙，聚精會神地看起來。曾國荃站在一旁，只見大哥臉在微微抽搐，手裏的紙在輕輕地顫動。曾國藩看著看著，終於雙眼一閉，身子向椅背一仰，長長地舒了一口氣，嘆道：「左季高畢竟是我輩中人！他是個眞君子！」

說話間，信紙從手指縫間飄落下來。曾國荃拾起一看，信上寫著：

滌翁尊兄大人閣下：

壽卿壯烈殉國，其侄錦棠求弟爲之寫墓志銘。弟於壽卿，只有役使之往事，而無識拔之舊恩，不堪爲之銘墓。可安壽卿忠魂者，唯尊兄心聲也。

八年不通音問，世上議論者何止千百！然皆以己度人，漫不著邊際。君子之所爭者國事，與私情之厚薄無關也；而弟素喜意氣用事，亦不怪世人之妄猜臆測。壽卿先去，弟泫然自慚。弟與兄均年過花甲，垂垂老矣，今生來日有幾何，尚仍以小兒意氣用事，後輩當哂之。前事如烟，何須問孰是孰非；餘日苦短，唯互勉自珍自愛。戲作一聯相贈，三十餘年交情，盡在此中：知人之明，謀國之忠，自愧不如元輔；同心若金，攻錯若石，相期無負平生。

「大哥，季高向你賠罪了。」曾國荃也很激動。

「不是賠罪，這正是季高的心地光明之處。」曾國藩緩緩站起，握著扶手立著，然後離開靠椅，在屋子裏慢慢走了兩步。「知人之明，謀國之忠，自愧不如元輔」，他在心裏默默地念著，想起了處理天津教案期間，總理衙門轉來的左宗棠的信。那封信以激烈的態度、尖銳的言辭，指責津案辦理的錯誤，讚揚津民的愛國熱情，就差沒有明罵他是賣國賊了。以左宗棠的名望地位，當時這封信給曾國藩的壓力和痛苦可想而知。而今這「謀國之忠，自愧不如」的話，豈不是委婉地表明了左宗棠對曾國藩處置津案的肯定？因津案而身心受到巨大刺激的前湘軍統帥，是多麼需要別人在這件事情上對他的理解，尤其是像左宗棠這樣的人的理解！曾國藩不僅因此而化除了與左宗棠的多年嫌猜，甚至於對老友生發出感激之情來。他突然停下脚步，重新坐在靠椅上，右手習慣性地摸著鬍鬚，笑著對弟弟說：「沅甫，我給你講一個關於季高的最新故事。」

「左季高的故事最多，今後可以編一部書。不知大哥又聽到了什麼好故事。」

「左季高在蘭州當陝甘總督，當年他隱居的東山白水洞幾個鄰居想去看看他，當然也想藉此出去觀光觀光，於是寫封信寄到蘭州。左季高回信邀請他們去，並且寄來三個人的盤纏。白水洞三個老農夫結伴同行，跋山涉水到了西北。左季高見到這三個老鄉，比見到朝廷派去慰勞的欽差大臣還高興。一連三天跟他們在一起吃飯，與他們共一個銅水烟壺吸烟，暢談在東山耕作的往事。左季高待微時鄉鄰的眞情實意，令部屬們感慨不已。

「這天晚飯後，季高又與三個鄉鄰隨便聊天。天氣熱，他乾脆脫去衣褂，露出一個大腹便便的肚子，躺在靠椅上。他搖著大蒲扇，問鄉鄰：『你們看，今日左三爹爹與昔日左三爹爹有什麼不同沒有？』一個說：『您老跟二十年前一個樣，還是那樣隨和沒架子。』另一個說：『也沒有老，跟先前一樣健健壯壯的。』第三個說：『就是一點不同，先前的肚子沒有現在這樣大。』季高很得意，拿蒲扇拍了拍大肚子，問：『你們可知道這裏裝的是什麼？』一個說：『裝的是魚肉鷄鴨。』另一個說：『左三爹爹在西北吃不到猪肉鮮魚，我看裏面裝的是牛肉羊肉。』第三個說，『不對，是海參、燕窩。』季高哈哈大笑起來，說：『你們都猜錯了，這裏面裝的是絕大經綸。』三個鄉鄰都驚呆了。一個說：『左三爹爹，你把金子做的輪子吞到肚子裏不可惜了嗎？』另一個說：『而且是絕大的，怎麼吞得進呢？』左季高聽了，笑得手中的蒲扇都掉到地上去了。」

曾國荃也大笑起來，問：「這是誰說出來的？」

「還有誰？白水洞的三個鄉鄰一回到湘陰，逢人便說，怪不得左三爹爹本事大，原來他肚子裏有一只會轉的金輪子！」曾國藩說到這裏，自己也忍不住笑起來。

「大哥，你大安了？」曾國荃見他笑得開心，歡喜地問。

「大安了！」曾國藩快活地回答。

九　最後一局圍棋

左宗棠這封短信的確遠勝歐陽夫人的祈禱和名醫的診治，曾國藩彷佛痊癒，精神又重新興旺起來。要辦的事情太多了：年前，湖廣總督李瀚章送來的淮鹽運往楚境章程修改的咨文要回復，兩江境內知府以上的官員同治十年政績密考要向朝廷呈報，狼山鎮總兵關於加强外洋船艦裝備的呈文要批復，岳州鎮總兵報來的幾處兵民鬥毆的事件要處理，每年春秋兩季巡視一遍長江水師的軍容軍紀，此事亦需專摺奏請，還有不少瑣事也要作些交待。右目失明之前，諸如這些重要的奏摺批文，以及給老朋友的信函，他都親筆書寫，不假手幕僚，這幾年不行了。一會兒，黎庶昌、薛福成、吳汝綸等人奉命進來。曾國藩分別對他們口述大意，叫他們擬好草稿後再念給他聽。

黎庶昌等人受命出去後，巡捕送來一大疊各省各府的拜年信。他看了看信封，知道是誰寄來的後，便隨手扔在一邊。最後一封是容閎寄的，他特爲拆開。信的開頭竟是一串長長的頭銜：「太子太保武英殿大學士一等毅勇侯兵部尚書銜兩江總督南洋通商大臣兼兩淮鹽政總辦江南機器製造總局督辦夫子大人勛鑒」。曾國藩不覺失聲笑了起來，略爲思忖，他提筆在旁邊寫了四句打油詩：「官兒盡大有何榮，字數太多看不清，減除幾行重寫過，留教他日作銘旌。」接下來又批一句：「由純齋擬一信，問出洋留學幼童選派事進展如何。」

因爲曾國藩的康復，兩江總督衙門的緊張氣氛鬆弛下來，曾紀鴻帶著紀瑞、紀芬等弟妹子侄們，興高采烈地到桃葉渡看花燈。歐陽夫人指揮僕役們宰鷄殺鴨，丈夫不請客擺酒，她還是要辦幾桌，將江寧城裏幾個大衙門的夫人太太們請來熱鬧一天。一年到頭，不知接過別人多少請柬，雖大部分沒有應請，但到底別人的禮數在，得趁著新年期間回回禮。來江寧十多天了，曾國荃一直沒有出過大門，這時也開始外出拜訪應酬。

冬天的江南，夜色來得早，剛吃完晚飯，兩江督署的各處房間便相繼點起了蠟燭、油燈，西花園、湘妃竹林和晚間無人住的藝篁館，則全部被濃重的漆黑所吞沒。這時，一個身穿黑色皮衣緊腿褲的中年男子，以矯健的身手躍上督署高大的圍牆，四處張望一眼後，再輕輕跳下，然後穿過斑竹林，踏過九曲橋，躲過侍衛的眼睛，逕直向總督的書房走來。

門吱地一聲開了，正躺在軟椅上閉目養神的曾國藩並沒有睜開眼睛來，只是輕輕地問了一句：「誰進來了？」

燈光下，躺椅上的前湘軍統帥竟是如此的衰老孱弱，使中年漢子不由得倒抽了一口冷氣，心裏很是悲涼。見無人答腔，曾國藩睜開餘光不多的左眼。眼前的漢子壯健威武，並不是時常進出書房的兄弟子侄和衞士僕役，昏昏花花的目光看不清來者是誰，但又覺得眼熟。

「曾大人，你不認識我了？」中年漢子走前一步。

好像是康福，但他怎麼可能沒有經過任何通報，便隻身來到書房呢？他揉了揉眼睛，雖然七年沒有見面了，雖然燈光不亮，人影朦朧，曾國藩還是認出來了：「价人！」剛喊了一聲，又連忙補一句，「眞的是你來了嗎？」

「是我呀，大人，是我康福來了。」康福也激動起來。

「价人，你走過來，靠著我身邊坐下，讓我好好看看你。」康福走過去，在曾國藩躺椅邊的凳子上坐下來。

曾國藩將康福仔仔細細地端詳了很久，又捏著他的手，慢慢地說：「价人，自從沅甫來江寧，告訴我，說你在東梁山下生活得很好，兒子聰慧，鏢藝驚人，我心裏喜慰極了。价人啦，想不到今天還能見到你，這下我放心了，可以閉著眼睛去了。」

說著說著，臉上竟然滾動起淚水來。康福望著動了眞情的老上司，久久說不出一句話來，只是用雙手將那隻乾枯少熱氣的手緊緊地握著。

十天前，康福從武當山回來，兒子把曾國荃留下的字條給他看，又說那人還送了一條很暖和的毛圍巾。看了字條，摸著圍巾，康福整整半夜未合眼。七年來，康福雖然有心遠離人世，但普天之下莫非王土，他仍然是大清王朝的一個子民。周圍的一切，他不能閉目不視，外出訪友問道，他不能不接觸人和事，所有他看到的、聽到的一切，莫不令他氣憤至極、灰心至極。咸豐二年，他之所以投靠到曾國藩的門下，一方面固然出自於對曾的崇敬，希望在曾的提携下出人頭地，光大康氏門第；另一方面，在康氏傳統家風的薰陶下，他也巴望著跟隨曾國藩做一些對國家對百姓有利的事情。後來，曾國藩在創辦湘軍，與太平軍轉戰東西的過程中，多次跟他談到打敗長毛後，要做一番伊尹、周公的事業，使國家中興，百姓安居樂業。那時康福相信曾國藩的這番抱負是眞誠的，也是可以實現的。以後，他目睹湘軍從將官到兵士的日益腐敗，他開始產生失望的情緒：這樣一批人能眞心實意爲國家和百姓辦事嗎？現在，長毛被鎭壓下去六七年了，捻軍也平息了，按理，朝廷的太后、皇上，兩江的總督都應當把整飭吏治、謀利民生，作爲第一等重要的事情來辦，官場應當清廉了一些，百姓的生活應當好轉一些，但事實並非如此，有些地方甚至比十多年前還要糟糕。

「這樣一個奄奄待斃的王朝，爲什麼一定要拼死拼活地保衞它呢？」出身經歷與曾國藩有很大差異的康福，這些年常常思考這個問題。從盤古開天地以來，改朝換代屢見不鮮，歷代史家也並沒有說哪個朝代是絕對不能推翻的，哪個朝代又是絕對不能建立的。康福記得小時聽父親講湯武革命的故事，對商湯、周武的革命行動讚揚備至。商湯可以伐桀，周武可以伐紂，今天爲什麼不可以討伐無仁無義的滿人朝廷呢？康福想清楚這一層後，由對弟弟人格的尊敬進而到對其所獻身的事業的理解了。在玉溪橋康宅裏，康福爲從康愼開始的歷代先祖都樹了一個牌位，最後也爲弟弟康祿立了一個木主。逢年過節，他要兒子康重對著這個木主磕頭，並把由細腳仔轉來的三枚梅花鏢，鄭重其事地交給兒子。並告訴兒子，叔叔是個大英雄，這三枚鏢是叔叔臨終前送給你的，不要辜負叔叔的期望，練好這門康家絕技。康福甚至還決定，當兒子長到十八歲那年，就把自己的這些認識都講給兒子聽，自己不願背叛朝廷走弟弟的道路，兒子則完全可以繼承叔叔的未竟大業。

追隨曾國藩十二年，對其人品的認識，康福也逐漸地深透了。曾國藩並不是他先前頭腦中偶像式的人物，此人的手腕權術、巧詐詭變，都與其自我標榜的誠信大相逕庭。如果說，那是因爲在鬥智鬥勇的戰爭環境，不得不如此的話，康福可以理解，但金陵攻下後，却要殺韋俊叔侄，這一點康福無論如何不能接受。大功告成，韋俊叔侄也是與湘軍一道打了四五年硬仗的人，不予重賞已是背信棄義了，還要强加罪名，殺頭示衆，以此來恫嚇別人，强行裁撤湘軍，這種狠毒的心腸，與歷史上那些遭後人唾駡的奸臣屠夫有何區別？何況，韋俊是康福勸降的。九泉之下的韋氏叔侄對他恨之入骨，自是不消說的了，就是整個正字營的人也莫不會仇恨他。他也要爲此事頂一個駡名，被一切有良心的人所唾棄。康福本擬就這樣悄沒聲息地與曾國藩和湘軍脫離關係，他永遠不想再見曾國藩。但曾國荃的一紙字條改變了他的主意，他要在曾國藩死之前見一面，更重要的是，他已得知康氏祖傳圍棋在曾的手裏，他要把它收回來，傳給自己的兒子。

「价人啦，你曾兩次救過我的命，我不曾報答你的大恩；你爲湘軍立過不少奇功，又是第一個衝進僞天王宮的功臣，朝廷也沒有給你相應的酬庸。這些年來，我一直爲此內疚不已，派人到沅江去看望你的夫人和兒子，也找不到他們。我是一個快要死的人，今夜能再次見到你，我滿足了，只是不知你需要些什麼，我要盡我的力量補救我的過失。」

曾國藩的誠懇態度，使得早已心如死灰的前親兵營營官爲難起來，沉吟艮久後說：「曾大人，您老自己多保重，過去的一切都不要提了，我也什麼都不需要。」

「不，价人。」曾國藩似乎突然被注入了一股生氣，說話的聲音宏亮乾脆起來，「你隱居在東梁山這多年，一直不來見我，這說明你對我有隔閡。你心裏有不滿之處，我完全能體諒。你既然還健在，我就有義務向朝廷稟報，向太后、皇上爲你討賞。李臣典、蕭孚泗都能得五等之爵，你也可以受這份殊榮。」

康福冷笑道：「我不希罕朝廷的五等之爵，大人也犯不著再爲我請賞。」

康福的冷淡令曾國藩氣沮，稍停片刻，他又說：「你若是不需要朝廷的爵位之賞，我可以荐你去做一鎮總兵。」

「我無此才幹，也無此心情。」康福的態度依舊是冷冷的。

「那麼，我給你一萬兩銀票。」

「我吃穿不愁，要這銀子做什麼？」

「价人，這不是我送你的銀子。」曾國藩的聲音又變得低緩起來，「這是你分內應得的，是補給你的欠餉。」

「曾大人，請你不要誤會了。我今夜來，決不是爲了向大人你索取什麼。實話說，現在就是把一座金陵城送給我，我都不要。」

康福的話裏帶著幾分惱怒，也充滿了幾分氣概，使得曾國藩點頭不已：「這我知道，我剛才也不過是爲了表示我的一點心意罷了。既然官爵祿利你都不要，過會我送你一件我個人的東西，留給你做個紀念，想必你不會太不顧我的面子。」

曾國藩平生不喜奇珍異寶。做翰林時，只偶爾到琉璃廳去買點前賢字畫。古董他最喜愛，但太貴，買不起。後來做軍事統帥，爲杜絕別人行苞苴，他連這點興趣都拋棄了。因而除皇上所賜外，他幾乎無一件珍稀。四個月前，一位從京師來的舊友帶來一件禮物。去年初，周壽昌爲頭連絡一批湘籍京官，爲祝賀曾國藩六十一歲大壽，用重金在王府井珠寶店裏買下一塊二十斤重的昆岡玉，請一名爲宮中琢玉五十年的老匠師來鑒定，並由他視這塊玉的外表琢一件器具。老匠師對這塊玉仔細鑒別了三天，證明是一塊眞正的藍田玉即古書上所稱的昆岡玉。這塊昆岡玉最大的特點是正中有一塊巴掌大的胭脂紅。老匠師有心要恰當地利用它，琢磨來琢磨去，最後決定雕一個南極老壽星，那塊胭脂紅就雕作壽星手中所捧的壽桃。三個月過後，一個形神兼備的老壽星栩栩如生地展現在大家的面前，尤其是手中那顆鮮紅欲滴的蟠桃，眞是安排得天衣無縫，贏得所有觀者的一致喝采，當下便有人願出三千兩銀子買下這尊玉雕。老匠師含笑謝絕了。玉壽星送到兩江總督衙門時，曾國藩喜得開懷大笑，十分痛快地收下了。這也是他一生中接受別人所贈的唯一一份重禮。現在，他打定主意，要把這個禮物轉送給康福。

這時，一個衙役進來，曾國藩吩咐他做幾個精緻的菜，提一壺好酒來。

「曾大人，你不必送什麼東西給我做紀念，我只想收回我自己的東西，你把那副圍棋子還給我吧！」

曾國藩怔怔地望著康福，好半天，才淒然地說：「那副圍棋是你們康家的傳家之寶，我把它從韋俊那裏要來，其目的也是不能讓這個寶貝長久地失落在賊人之手，今後訪到你的兒子時，再歸還給你們康家。現在你自己來了，那正好當面給你。」

說完，曾國藩顫巍巍地站起，走到櫃子邊，拿出一個黑色哈拉呢包包來。打開包包，眼前現出了那個離別多年的紫檀香木雲龍盒子。康福的心一陣跳動。曾國藩雙手捧起盒子，鄭重地說：「价人，這盒圍棋終於又回到了你的手裏，我也了却了一樁心願。」

康福接過這盒棋子，酸甜苦辣一齊湧上心頭，一時不知說什麼是好。

曾國藩重新坐到躺椅上，心緒蒼涼地說：「自從聽李臣典說你陣亡後，這些年來，我一直很少下圍棋。偶爾下一兩局，也從不用你的這一副。每當下棋時，腦子裏就想起了你，尤其是那年洞庭湖上下的幾局棋，記憶最深，就好比發生在昨天一樣。圍棋應當還給你，但今天一旦還給你，我心裏又感到丟失什麼似的。价人，我害怕你今夜親來督署索回棋子，其實是從此斷掉你我十幾年的情誼。价人，你說是不是呀？」

面前的這位衰朽老頭，竟完全應了那句「人之將死，其言也善」的老話，他怎麼會有這樣一副婆婆心腸！昔日那個殺金松齡、參陳啓邁、劾李元度、鬥何桂清的不可一世的湘軍統帥的威凌之氣到哪裏去了？康福想著想著，不覺生發出一種憐憫之情來：這個老頭子眞的怕離死期不遠了。他本想就韋俊一事與曾國藩辯個是非，聽了這番話後，他打消了這個念頭，言不由衷地說：「曾大人，你說哪裏話來，大人對我的情分，我一輩子都忘不了。」

「好，你能這樣，太令我安慰了！」曾國藩竟然大爲感動起來。恰好衙役將酒菜端了進來，他忙說，「价人，你一定餓了，快吃吧，吃完飯後，我和你再下一局如何？」

康福的心一下子變得沉重起來。往日間喝一兩斤烈酒他不在乎，今夜一杯酒下肚，腦子裏便覺得暈暈乎乎的。他放下酒杯，隨便吃了幾口菜，便把杯盤推到一邊。

「吃飽了？」曾國藩問，純是一個普通老頭子的口氣。

康福點點頭。嗇役進來收拾碗筷，曾國藩吩咐點起兩盞洋油燈。這是史蒂文生去年回國探親特爲曾國藩帶來的禮物。爲了愛惜洋油，他通常不用。洋油燈點燃後，總督的書房明亮多了，康福瀏覽了一下：靠窗邊是一張特大的案桌，桌上一頭堆著兩迭尺多高的文件，另一頭放著幾本書，當年湯鵬送的那個荷葉古硯擺在其間；右邊墻站著幾個高脚木櫃，漆著暗紅色的油漆，櫃門上都有一把三寸長的大銅鎖；櫃子邊碼著幾排木箱。康福認得，這些簡陋的箱子，還是在祁門時做的。

曾國藩剛任兩江總督，文書信報大量增加，祁門縣令包人傑爲討好總督，送來十個嶄新的梓木大紅櫃子。康福見正是用得著的東西，沒有請示曾國藩就收下了。第二天曾國藩發現了，責令他退回去，另叫他監製十二只大木箱。曾國藩說：「祁門山中樟木好，又便宜，用樟木做箱子，裝書裝報最好，不生蟲。戰爭時期，經常遷徙，比起櫃子來，箱子也便於搬動。」又親自畫了一個樣子，定下尺寸。康福受命監造了十二個大木箱。當時沒有油漆，至今這些木箱仍未上漆，黑黑的，顯得很寒酸粗糙。左邊墻擺著一張簡易木床，床上藍底印花被依舊是當年陳春燕縫的。除開一張躺椅，一個茶几，幾條木凳外，寬大的書房裏再也沒有任何其他擺設和裝飾。康福對這一切太熟悉了。兩江總督書房的簡樸，與總督衙門的奢華極不協調，而與總督整個一生的立身却是完全一致的。康福在心裏深深地嘆了一口氣，這些年來對曾國藩本人所滋生的不滿，被眼前的這些熟悉的舊物冲去了不少。

「价人，把棋子拿出來吧！」

康福見茶几上已擺好一個棋枰，便打開雲龍盒蓋，將棋子分置兩邊。

「還是按慣例，我持黑，你持白。」曾國藩說，臉上露出一絲極淺的笑容，同時舉起一枚黑子來，在空中停了好長一段時間，才慢慢按下。康福看出那隻手在微微顫抖。十餘年間，康福與曾國藩也不知下過多少局棋了。在康福的指點下，曾國藩的棋藝雖有提高，但始終沒有跳出他幾十年來所形成的格局。他的棋下得平實，很少有意外之著出現，但他很沉穩，從不心粗氣浮，不管處於怎樣的劣勢，他都不慌不忙，冷靜應付，康福爲數不多的敗局，又恰恰幾乎全部是敗在這種時候。令康福印象最深的是，曾國藩的棋德很好，從不悔子，敗後也從不發脾氣。有時一邊下棋，一邊談古論今，康福從中學到不少知識。他記得，曾國藩在棋枰前曾兩次對他說過圍棋賭墅的典故，他因而知道，謝安是這個湘軍統帥心中極爲欽佩的人物。

黑白棋子一個個落在棋枰上，往事也在康福的腦中一件件地浮出。他始終記得，在前往池州勸說韋俊投降的前天晚上，面對著棋枰，曾國藩和他的一番對話。

「价人，你這副祖傳圍棋就要送給別人了，你不心疼嗎？」當康福把棋子一枚枚地放進盒子裏時，曾國藩問。

「傳了九代的棋子要送給別人，我當然心裏不安。不過，假使眞的能爲朝廷招降一批悍賊，換回一座城池，那我也就不心疼了。」康福說的完全是心裏話。

「你眞是一個顧大局、識大體的人。」曾國藩讚揚，「不過，這副棋子我今後還得設法把它要回來的。」

「怎麼個要法？」康福不解，「送出的東西還能再要回來嗎？」

「我會跟韋俊講明白，再用東西把它換回來。」

康福很感激。

待康福把全部棋子都收好後，曾國藩突然說：「价人，你想過沒有，世界上的人，其實就是棋枰上的子，無論是我們還是長毛都如此。我常常這樣想，每當想起這點，便很灰心，不知你想過沒有？」
「我也想過。不過我想，只有我們這些人才是棋子，大人您老不是，您老是執子的人。」康福笑著說。
「不是的。」曾國藩搖搖頭，凝重地說，「包括我在內都是棋子，都是身不由己任別人擺布的黑白之子。」
「別人是誰呢？」康福睜大眼睛問，「是皇上嗎？」
「皇上有時是執子的人，有時又是被執的子，說到底皇上也是棋子。」曾國藩兩眼望著空空的紋枰，似在深思。
「那麼這個『別人』究竟是誰呢？」康福追問。
「冥冥上蒼！」曾國藩苦笑著回答。
康福很想再聽下去，聽聽這個學識淵博、與衆不同的大人物對人生的看法，他估計這中間一定會有些精闢的論述，但是他失望了。只見曾國藩站了起來，說：「今天很晚了，你明天還要啓程辦大事，等你把韋俊勸說過來後，我們再來好好聊聊。」
韋俊投降後，曾國藩再也沒有繼續這個話題。不過，康福也從中看出了湘軍統帥靈府深處的另一面——怯弱！

「价人，該你走了。」曾國藩輕輕地提醒。康福從往事的回憶中醒過來，趕緊投下一子。這個子投得不是地方，本來有利的局面變得不利了。

康福今夜實在沒有心思下棋，他勉力下了幾個子，逐漸地把局面挽回來了。剛剛鬆一口氣，曾國藩又開口了：「价人，我知道我活不久了，這局棋是我今生最後一局棋。雖然我很想再留你在我身邊，實際上也沒有這個必要了。价人，我和你二十年前以圍棋相識，二十年後又以一局圍棋結束，說起來，這也是一段緣分。你還記得那年我跟你說過，我們都是棋子的話嗎？」

「記得。」康福沉重地應了一聲。

「我這一生，尤其是這二十年來，做了許多身不由己的事，今夜想起來，彷彿如夢境一般；還有許多事，我想做又不能做到，更使我痛心。我正好比一枚棋子，被人放到這裏或放到那裏，自己竟然都做不得主。」

當年去池州的前夜，親兵營營官康福對湘軍統帥的「我們都是棋子」的話，有著一聽究竟的興趣。今夜，東梁山的隱士康伏對大學士兩江總督一等毅勇侯的這句話，卻頓生反感。康福想：為什麼他要提起這話呢？是不是要推卸殺害韋俊叔侄的責任呢？康福終於忍不住了：「曾大人，你說你好比棋子，身不由己，難道說殺韋俊、韋以德也是身不由己嗎？」

康福的嚴厲責問，使曾國藩頗爲難堪，他無力地回答：「你說得對，殺韋俊、韋以德，也是身不由己的事。我知道這件事對你有刺激，因爲你對他們許過諾言。但价人，你想過沒有，此事對我自已就沒有刺激了嗎？我不但對他們許過諾言，我還爲他們親筆題過詩，答應凌烟閣上爲他們繪像銘功。爲保全整個湘軍的名聲，爲大清王朝的長治久安，我不得不那樣做呀！」

曾國藩說到這裏長嘆了一口氣，顯得十分委屈。

「怪不得世人都說他虛僞。」康福在心裏說，他實在不願意再下了，遂有意將袖口套在紋枰一角上，然後猛地站起。袖口帶動紋枰，嘩啦一聲，一局棋全亂了。康福滿以爲曾國藩會感到遺憾，誰知他竟然高興起來，說：「棋局糊了，最好，最好，分不出輸贏，就等於和了。我一生下了幾千局棋，最後以和局終止，眞是大幸！」他用昏花的眼光望著康福，稍停片刻，又說，「价人，這人世間還是應該以和爲貴，以和爲貴呀！」

「是的，應該以和爲貴。」康福出自內心贊同這句話，「那我就把棋子收起了？」

「收吧，收吧！」曾國藩點頭，「价人，你今夜就睡在我這裏。沅甫去藩司衙門去了，明天會回來，你和他敍談敍談。前次他聽說你還活著，專程去東梁山找你哩！」

康福面無表情。他從隨身包袱中取出曾國荃送的那條狐腋圍巾，放到棋枰上，說：「往事如烟，早在我的腦子裏消失了，我也不想再見九爺了。這條圍巾是他上次在東梁山留下來的，山野逸人，用不上這麼貴重的東西。明天九爺回來時，請大人代我送還給他。」

康福將檀香木盒放進包袱中，一旁的那塊黑色哈拉呢包布，他連看都沒有看一下。他把包袱背在背後，向曾國藩一抱拳：「棋子我帶回去了，就此告辭，大人珍重！」

曾國藩怔怔地呆坐在躺椅上，望著被送回的狐腋圍巾，再也沒有勇氣提出送玉雕的話來。康福匆匆而來，又匆匆而去，曾國藩的心緒更加悲涼了。事情明白地告訴他，康福此次來督署，正是以收回圍棋的方式表示斷絕他們過去十多年之間的關係，他心裏有一股巨大的落寞之感，好久才擠出一句話來：「价人，你多多保重。」而這時，康福的身影早已消失在茫茫夜色中。

離開江寧後，康福又回到東梁山隱居。十多年後，他不幸得急病辭世。那時，封家老倆口早已先後逝去，康重帶著老母妻兒回到沅江下河橋老家。清王朝的腐敗，全國人民的反抗，使從小就有俠義心腸的康重，徹底與康氏先輩忠君敬上、光宗耀祖的傳統道德決裂，以叔叔為榜樣，走上了驅除韃虜，恢復中華的偉大革命道路。他成為湖南有名的武術教師，弟子遍及三湘四水。這些弟子中有不少熱血志士，其中最為傑出的便是大名鼎鼎的黃興。辛亥革命時，黃興在武昌登台拜將，成爲革命軍總司令，年過半百的康重充當他的作戰參謀。辛亥革命成功後，康重鄭重地將那三枚梅花鏢供在康祿的牌位下，激動萬分地說：「叔父大人，你和你的弟兄們的大願終於實現了！」

這些當然都是後話了。

十 不信書，信運氣

正月十四日，是道光帝賓天的日子，曾國藩爲感謝道光帝的知遇之恩，每年這一天都要在道光帝的神主面前插上幾柱香，再行三跪九叩大禮。今天，他勉强行完大禮後，覺得十分疲倦，剛一坐下，腦子裏便浮現二十三年前那一天的情景來。

明天就是元宵節了，三十九歲的禮部右侍郎曾國藩正在修鬚刮面，準備出席明晚穆相的盛宴。穆彰阿每年正月十五日都要將自己門生中的顯宦們邀來府中聚會一次，藉以聯絡感情，而被邀請者亦備感榮幸。他們都早早地準備了奇珍異寶，好在這一天孝敬座師。曾國藩與衆不同。他在這一天送給恩師的總是一幅字。這幅字選的是他一年中最得意的一篇古文或幾首詩，用大內珍藏、其厚如錢的淳化箋書就。他關起門來，凝神斂氣、一筆不苟地寫上三四天。寫好後，再送到大柵欄一家專爲王府裱糊字畫的百年老店——海痲子裝裱鋪，由海痲子的五世孫海老板親自裝裱。待到一切都弄得熨貼了，曾國藩便在大年初二這天，給穆彰阿拜年的時候，親手送給恩師。穆彰阿每年接到這份禮物後，照例都是樂哈哈地誇獎他的字又進了步，詩文也比去年的好。到了十五日這一天，這幅字被懸掛在客廳的顯眼處，於是大家都來觀摩，交口稱讚。這時，穆彰阿則坐在廳中的太師椅上，手中滾動著兩顆墨綠色和闐玉球，笑微微地望著他。而此刻的曾國藩，也是他一年中最爲得意的一天。

面刮好，鬍鬚修好了，剃頭匠拿來一面玻璃鏡。鏡中的二品大員年輕儒雅，氣色旺盛，是一副前途無量的氣象。剃頭匠在一旁恭維不止，曾國藩給他雙倍的工錢。忽然荊七進來，神色慌忙地說：「大人，剛才部裏匡老爺派人來，請大人速去園子裏，說是皇上要立太子了！」曾國藩大吃一驚，吩咐備車，一面趕緊穿靴戴帽，上車直奔圓明園。

道光帝今年六十九歲，患病兩年多了。半個月前，宮中就傳出病危的消息。大變的心裏準備早已有了，但出於對皇上的情感，曾國藩仍不願意這件事發生。清代自雍正之後，鑒於康熙朝因先立太子引起諸皇子爭奪帝位的弊病，改爲秘密建儲。皇帝一旦在心裏定下繼承者後，便將他的名字寫兩份，一份藏在身上，一份密封於建儲匣內。此匣放在乾清宮「正大光明」匾後。

皇上病危之時，由親貴王大臣共同打開身邊密藏的一份，並將建儲匣從「正大光明」匾後取出啓封，會同廷臣一同驗看，無誤後再公之於世。

道光帝的皇位繼承人，兩年前便定下來了。那年春天在南苑射獵，皇四子奕詝一矢未發，道光帝問他爲何不射獵，他說不忍傷生而干天和。道光帝一時高興，竟忘了祖制，當著臣下之面親口說要立奕詝爲太子，而且從那以後對奕詝也另眼相看。但畢竟沒有履行過祖宗傳下來的正式手續，也可能發生萬一。誰來繼大統，這可是天上人間第一件大事。國家的前途，個人的命運，都寄托在他一人的身上。曾國藩催馬伕快馬加鞭，生怕遲到了，趕不上見最後一面。

馬伕使勁抽打著鞭子，兩匹蒙古大青馬像瘋了似地向西奔跑，鼻孔裏呼出的氣，立刻被嚴寒化作一團白霧。還是晚了！馬車剛到園門口，便聽到一片山搖地動似的哭喊聲。道光帝駕崩了！曾國藩一聽，立刻暈倒在馬車裏，好半天才甦醒過來。道光帝對他的聖恩太重了。他的尊榮，他的富貴，以及他的家族的榮耀，全部出自於道光帝的浩蕩皇恩。年輕的禮部侍郎擦乾淚水，立即投入耗資巨大、禮儀繁瑣的大喪籌備之中。他奉獻的不僅僅是盡責盡力、任勞任怨，更重要的是他和他的家族對皇家的一片耿耿忠心。大喪結束，他捧著頒發的遺念衣物，悲從中來。

隨之而來的是咸豐帝罷黜穆彰阿，清除穆黨，意料不到的變故使他目瞪口呆，他算是親身領略到了官場榮耀後面的險惡。從那以後，曾國藩更加兢兢業業，謹小愼微，同時，也更加深化了對道光帝的思念。後來，每當事機不順，與咸豐帝、慈禧不協的時候，這種思念便愈顯得强烈……

「唉，想不到一晃二十三年過去了！」曾國藩從往事的回憶裏走出來，進入了現實，一眼看見穿衣鏡中那個佝僂衰朽的老頭，頓時涼到背脊，萬念俱灰！這一夜，他又失眠了，天快亮的時候才朦朦朧朧地睡去。剛一合眼，便看到道光帝正坐在養心殿東暖閣裏批閱奏章，見他來，便以手相招。他走過去，跪著。道光帝一反平時的不測天威，竟然和顏悅色地與他聊起家常來。說著說著，道光帝頭一偏，碰到龍案上，曾國藩嚇得大叫一聲。醒來時，才發現全身衣褲都已汗濕了。

「道光爺想我了，他老人家要我去陪伴了！」曾國藩心裏想，頭又暈起來，伴隨著肝部一陣疼痛。他再次明白地意識到在世之日不會太久了，他要趁著頭腦還清醒的時候，將自己心裏常常思考的事情告訴九弟和兒子。

聽說大哥好了幾天又病倒，曾國荃已知不妙，爲了給大哥添幾分喜悅，他終於決定將李臣章送的金毛全虎皮今天就轉送給大哥。

「你哪有這種東西？」當曾國荃把這張虎皮展開時，曾國藩甚爲驚喜。他撫摸著又長又軟的金黃色起黑條花紋的江南虎皮，愛不釋手，對九弟的這份厚禮十分滿意。只頗爲遺憾的是，十多年前沒有得到它，那時襯托湘軍統帥威風的，只是一張仿製的假虎皮。

「這是祥雲的弟弟給送你的，他還送給了我一張。」見大哥喜歡，曾國荃心裏高興，他後悔進府的當天沒有送上。

「祥雲的兄弟？他現在哪裏，他怎麼會有這樣好的虎皮？」李臣典死後，李臣章找過曾國藩多次，故記憶深。

「我這次在荻港碼頭上偶爾遇著了他，還在那裏做了一天的客。」曾國荃兩眼閃著亮光，將他在猛虎山一天的情形，繪聲繪色地告訴了大哥。最後，他懷著一種極大的新鮮感說，「大哥，你大概沒有想到吧，當年的湘軍會與它的死對頭長毛結伙成股，走出一條既不擁戴朝廷，又不與百姓作對的第三條路來。這世上事情的變化眞令人不可思議！」

說完，他凝神望著大哥，急切地等待著回答。曾國藩沒有答腔，只是不斷地緩慢地梳理著他的花白長鬚，兩眼微微閉著。就這樣，兄弟倆相對沉默了整整一刻鐘。前吉字營統帥，不明白前湘軍統帥在長時間的沉默中究竟想些什麼。

「沅甫。」曾國藩終於開口了，親切地叫了一聲弟弟，並以充滿著仁愛、友悌的目光望著他。「今早晨宣宗爺已向我招手，我也早就應該回到他老人家身邊去了。今夜，我們兄弟倆好好地將心裏話聊聊，說不定這是最後一次話別了。」

沒有想到猛虎山的經歷竟然引起大哥這麼長的沉默，而沉默之後的語言竟是這麼淒愴，曾國荃神色沮喪，說：「大哥，你莫說這樣的話，你才剛過六十歲，祖父祖母都享高壽，父母也都年近古稀，你爲國家建了大功勛，爲家族立了大功勞，祖宗神靈會保祐你長壽的。」

「我無德無才，不敢與父祖輩相比，至於說我是國家的功臣，這是你和一部分好心人的看法。」對於胞弟這番出自衷情的安慰，曾國藩周身感到溫暖。他苦笑著說，「在另一些人的眼中，我也可能是國家的罪魁禍首。」

「大哥，你怎麼能說這樣的話？」原吉字營統帥一貫以拯救朝廷的特大功臣自居，他和他身邊的一批榮獲重賞的將領們從來也沒有去想過，大功後面竟然還潛伏著大過。正因爲如此，金陵攻下後，他覺得伯爵之賞不足以酬勞；鄂撫任上他目無官文，就連新湘軍的失敗，他也認爲無損他的英名。相反地，他在荷葉塘買田起屋，都是理所當然的。

「沅甫，你以爲長毛的滅亡是因爲湘軍的緣故嗎？」曾國藩注視著九弟，目光雖然沒有往昔的威厲，但仍使人不敢逼視。

「旗兵、綠營雖然也參與了一些戰事，但他們不起主要作用，打敗長毛的功勞，應當屬於湘軍。」曾國荃本想在後面再添上幾個字——首先屬於湘軍中的吉字營，話到嘴邊，又沒有吐出。

「錯了，沅甫。」曾國藩輕輕地搖了搖頭，「這一切都是氣數使然。」

曾國荃睜大眼睛望著大哥。這位貢生出身的九帥，自小就不願意按著大哥的指教把書本深究。他崇尚的是刀兵武力，注重的是眼前的實利，從不善於作抽象的深遠的哲理思考，也不大相信種田人常說的八字命運。他認爲前者失之於迂腐空泛，後者又失之於懦弱無能，他要做英雄强者，要做命運的主人。

「沅甫，大哥實話對你說，以你的吉字營爲主的湘軍，根本就不是成就偉業的軍隊。當然，聽這話，作爲吉字營的統帥，你心裏是不會舒服的，但大哥是湘軍的創建人，是最多時人數達二十萬的湘軍水陸兩支人馬的統帥，若不是眞正的實情，大哥我會這樣說嗎？」曾國藩端起茶杯喝了兩口茶。十年前，他可以一連說上兩個時辰不喝一口水，現在他的舌乾口燥的毛病越來越嚴重了。

「湘軍或許不能與商湯周武之師相比，但論功績，我看也不在岳家軍、戚家軍之下，後期軍紀固然不甚佳，岳、戚兩家就一定如書上所說的那樣好？我就不信！這一點，還是左季高看得透。一部二十三史，不知有幾多左老三夢中鬥水盜的杜撰！」

曾國荃對大哥的說法不服氣。去年湘中士人公推王闓運撰湘軍誌。王闓運也揚言，爲湘軍修誌一事非他莫屬，他要秉董狐之筆，不溢美，不飾惡，爲湘軍存一信史。曾國荃一聽急了，忙致書王闓運。告訴他不許給湘軍抹黑，若不聽警告，對湘軍，尤其是對吉字營說長道短的話，即使雕了板，印成書，也要毀板焚書，不講情面。同時，曾國荃又要原先的幕僚，現賦閑在家的湖北東湖人王安定執筆寫一部湘軍史，並預支給他三百兩銀子的潤筆費。這些事情，曾國荃都沒有對大哥提起，現在看來更不宜提了。

九弟的不服氣，是曾國藩預料中的事。他不跟弟弟爭辯，只是淡淡一笑，順著自己的思路繼續說下去：「長毛的失敗，乃至滅亡，主要的原因在他們自己身上。道光末年，從兩廣到兩湖到兩江，南方吏治甚爲腐敗，再加之災情嚴重，民不聊生，洪楊乘機以有田同耕、有飯同吃的口號蠱惑人心，聚眾造反。那時地方官員顢頇昏憒，文不能守，武不能戰，遂使洪楊坐大，竊據江寧，公然另立僞朝。盤踞江寧後，洪楊本性大暴露，所作所爲與造反之初大不一樣，於是人心喪失。到了咸豐六年的內訌，更加證明他們是一羣爭權奪利、殘忍刻毒的强盜，當時有識之士已看到了他們的敗滅定局。後來依靠諸如陳玉成、李秀成等梟悍之徒的垂死支撐，才又苟延了七八年。湘軍是趁著這些空缺才僥倖成功的。倘若那時不是你我兄弟籌建湘軍，而由少荃兄弟早建淮軍，甚或是鮑超建川軍，朱洪章建黔軍，沈葆楨建閩軍，都有可能取湘軍之功而代之。換一個側面說，假若我們的對手洪楊有中人之資，不急於在江寧建都稱王，而是率叛卒直攻京師，那樣也不容許有我湘軍存在的一天。沅甫，你想想看，你的一等伯，我的一等侯，不都是靠運氣好而撿來的嗎？」

大哥的這番話有道理，但說侯伯之爵都是撿來的，未免貶己太甚。圍安慶一年多，圍金陵兩年多的曾鐵桶，無論如何不能接受這個觀點。倘若這個話不是出自大哥之口，而是由其他人說出，他甚至會憤怒得一刀宰了此人。他凝神望著大哥，只見大哥臉色灰白，全身上下幾無一絲活氣，心想：大哥常說他膽氣薄弱，是否他現在眞的精神已盡，陽剛之氣全無了呢？要不，何以如此壓抑自己？曾國荃聽家裏人說，父親臨死前那半年，膽小得連小孩子都不如，在普通的作田人面前都謙讓不已。人們都說老太爺的陽氣不多了，活不長了。想到這裏，曾國荃不覺對大哥生發出一股憐憫之情來。他不憤怒了，反而笑道：「大哥說得也太過分了，五等爵位還有撿的？這麼多人想，別人怎麼撿不到？難道運氣都在我們頭上，別人就沒有運氣？」

「你信不信，我不勉强，總之我是相信的。」曾國藩再次端起茶杯來喝了兩口水，右手又捋起長鬚來。「我給你講幾件事，你看是不是運氣。咸豐四年出兵之初，我在靖港大敗，長沙官場盡是白眼，我自己也對前景失望，沒想到塔、羅在湘潭十戰十勝，不僅抵消了我的失敗之過，還贏得了湘軍的徹底翻身。這是一個例子。第二個例子，咸豐五年在江西，石達開把我舢板全部引進鄱陽湖，然後全力圍攻我水師，逼得我跳長江自殺，雖被救不死，但全軍已潰敗。正在垂手待擒之際，鮑春霆却突然率打糧之軍歸來，冲亂了長毛的陣脚，使我死裏逃生。第三個例子，咸豐六年從樟樹鎮敗回南昌，石達開將南昌城團團包圍，炮聲火光晝夜不歇，南昌指日即破。做夢也沒想到，長毛竟然在一夜之間撤走得乾乾淨淨。第四個例子，咸豐十年在祁門，李秀成率數萬大軍已殺到我的眼皮底下。祁門總共不到三千人，幕僚們幾乎逃光，連李少荃都嚇走了。我已寫了遺囑，枕劍而臥，隨時準備自盡。結果又是讓鮑春霆衝進祁門大山來救了。而可怪的是，李秀成居然不再進攻，率部西去了。倘若他不走，繼續打下去，霆軍很可能也擋不住。沅甫，你看看，我之能有今天，到底是靠我的本事呢？還是靠運氣呢？周荇農、潘伯寅客氣，稱讚我是大經濟從大學問中來，還說慈禧太后有次對身邊的大臣說，曾某人亂極時沉得住氣，全是靠的理學功夫。我給荇農、伯寅寫信說，我是不信書，信運氣，而且要公之言，告萬世。」

說完嘿嘿笑了兩聲。曾國荃聽得有味，也笑了起來。

「沅甫，所以我先前對你說過，你本事雖大，但不能居全功，要讓一半與天。這『天』就是指的運氣。這樣看，這樣想，就可以免去許多煩惱，少生許多悶氣，這不僅是處世之道，也是養生之方。」

說到這裏，曾國荃才第一次點了點頭。

「現在來談談李臣章與瞿榮光結合一股的事。沅甫，你是怎樣看的呢？」曾國藩問九弟。

「我看這也沒有什麼。」曾國荃想了想，說，「這也是一種謀生手段。至於瞿榮光，過去當過長毛，現在不是的了，也不必算老帳。」

「沅甫，你把這事看得太簡單太膚淺了。」曾國藩緊鎖雙眉，看著自己這個爵高秩隆的九弟，心中爲他的見識淺薄而深深擔憂。「勝利者的湘軍和失敗者的長毛結拜兄弟，共同謀事，在失敗者的眼裏，勝利者究竟還有幾多分量？在勝利者看來，失敗者又有幾成罪孽？猛虎山這兩支人馬的組合，豈不意味著把湘軍和長毛扯成了一條平線？」

前吉字營統帥壓根兒沒有作過這樣的深思，一時間，他簡直不能分辨大哥的聯想究竟是精闢的見解，還是無稽之談。他瞠目結舌，無言以對。

「這是其一，要害還不在這裏，要害在於這實際上已經泯滅了大是大非的界線。我們湘軍是保君父、衞孔孟的王師，行的是救國救民的光明正大的事業，而長毛幹的是傷天害理、倒行逆施的勾當。這中間是非善惡涇渭分明。我們與長毛勢不兩立、不共戴天，怎麼能夠稱兄道弟、平起平坐呢？哎，這班子糊塗蟲！」

曾國荃聽了這話，臉不覺紅了起來。

「李臣章這班傢伙，敢公然藐視太后、皇上，心懷不臣之心，一有風吹草動，就會重做長毛的事。湘勇戰死的不算，活著的至少有二十萬之多，十成中只要有一成李臣章這樣的人，就有可能使天下大亂。而現在滯留安徽、江西、湖北不回原籍的湘勇還不只二萬，且大部分都被哥老會所拉攏，成幫成派的，他們膽子大，手裏有槍，這些人實際上就是埋在長江兩岸引火待發的炸藥！沅甫，你看到這一點嗎？」

「有這樣嚴重嗎？大哥，你過慮了。」曾國荃不同意大哥對李臣章這批人的苛責。「他們說到底，只是一班兵油子而已，輕鬆飯吃慣了，不願再做風吹雨打日頭曬的農夫罷了。再說，大亂方平，你我兄弟，還有雪琴、季高、少荃都還在，誰還敢再冒天下之大不韙，重蹈長毛覆轍？」

「你說得有道理。」曾國藩輕輕頷首，「我們兄弟在，雪琴、季高、少荃等人在，有異志者不能不存戒備之心，眼見得到的這十年八年或許不會有大亂。季高精力雖過人，也已年過花甲，雪琴五十多了，你和少荃也都到五十邊上了，而散布在大江南北的湘勇中許多人還只有李臣章那樣的年紀，難保十年二十年，老成凋謝後他們不會目中無人。當然，倘若朝廷力量強大，也能鎮住四方，但現在恰恰是女主臨朝，皇上孱弱。」

這裏是警戒森嚴的江督衙門的後院，且時已深夜，絕無人跡，出於多年謹愼過度的習性，曾國藩在說到太后、皇上時，仍把聲音壓得很低很低：「恭王被疑，中樞無幹練之才，而十八省督撫中，憑軍功起家者已過其半，他們手中至今仍掌握著屬於自己的軍隊。我朝開基兩百多年來，外重內輕之局面無有甚於今日，且洋人虎視眈眈，仗勢欺凌。沅甫，你三十歲前便讀完了二十三史，你仔細想想看，今日天下局勢，與歷代末世有何區別？我這兩年來常常想，下次再亂，必定是湘軍餘孽起骨幹作用，即或是本人老了，不上戰場了，也會是他們在幕後操縱。所以我說，我們兄弟究竟是國家的功臣，還是朝廷的罪魁，現在尙不能定，甚至我死之後，蓋棺亦不能定案。」說罷，曾國藩重重地嘆了一口長氣，又沉痛地說，「沅甫，你平素可能很少從這個方面想過吧！」

「大哥，即使如你所預測的，天下大亂，湘軍有些人參與了反對朝廷的活動，但那也不是我們的責任，你何苦要這樣自己給自己找煩惱呢？」曾國荃對大哥的用心還是不能理解。

「沅甫。」見九弟一直沒有轉過彎來，曾國藩正色道，「我何嘗不知，天底下任多偉大的祖先都有不肖子孫，任多嚴密紀律的集團中都有不法之徒，湘軍中混有朝廷的叛逆、社會的渣滓，自然難免，且你我兄弟以及死去的胡、塔、羅、李等人，對皇上的耿耿忠心可昭日月，可泣鬼神。但湘軍中只要有一人叛逆，湘軍就會蒙上一粒灰塵，若今後有成千上萬人走上與朝廷對抗的道路，將會給湘軍抹上一塊多大的黑泥？江寧打下後，不上交一兩銀子，且縱火焚毀僞天王宮，這幾年對此事的公開指責雖已平息，人們的腹非豈可消除！我朝無論八旗兵還是綠營，從來都是世業制，沒有出現過半年之間裁撤十多萬軍隊的先例。且撤勇之時，欠巨額之餉，積無窮之弊，通通沒有解決，潛伏了大量隱患。這些都是我們募勇之初所不可能想到的。倘若今後沒有更大的亂子出來，朝廷和後人或不至於苛責；倘若湘軍中的敗類有朝一日舉起反叛的旗幟，這些老帳新帳便會一齊算，史册上就會說曾某人建湘軍是做了一件大壞事，連你曾沅甫打金陵，後人也會說你不是爲了朝廷，而是衝著小天堂的金銀如海、財貨如山來的！」

「讓他們說去吧，我不在乎。」曾國荃嘀嘀咕咕地嘟囔。

「這不是在乎不在乎的事。」曾國藩陰鬱地說，「這是件可悲的事。而更可悲的，是我現在已清清楚楚看出了它今後的結局，但無力扭轉。前人說無可奈何花落去，明知花要落去，卻不可能將春天挽留住，人世間眞正的最大悲哀，莫過於此！」

曾國藩一時覺得五內隱痛、神志紛亂，他不得不停止說話。曾國荃臉色黯然，低首不語。督署書房死一般地沉寂。

過一會兒，曾國藩略覺心裏平息一點，又堅持說下去：「我是活不久的人了，這次請你到江寧來，首先就是要提醒你，不要總以江山社稷大功臣自居。其次，世道乖亂，局勢不穩，你最好的選擇就是長保今日的處境，住在荷葉塘，當你的財主莊東，不要再出來做官。大哥我早在打下金陵時就想急流勇退，只是那時要讓你先回去，不能兩兄弟同時開缺，故而留了下來。後來捻戰失利，名望大損，我三辭江督而不允，孰料又遇天津教案，致使一生清名掃地以盡。莊子說長壽多辱，確是實話。我若在金陵打下時就死去，哪有後來被人罵作漢奸賣國賊的恥辱。你也差不多。這幾年做鄂撫，捻戰無功，又與官秀峯不睦，上下左右都有閑言碎語，處境也不順利。我有時想，天降我們兄弟，就是爲了對付長毛。長毛一平，我輩職責已盡，就都要解甲歸田。老子說『爲而不恃，功成而不居』，又說『功遂身退天之道』，實在是很深刻很明哲的話，可惜當年還見不到這一層，自取侮辱。故大哥我死後，不希望你復出做官，只望你和澄侯一起守住父母之坟，保住曾氏家族的平安無事，就萬幸了。」

曾國荃想，大哥這番話盡管說得悲觀哀痛，但的確是實情，兄弟二人自大功告成之後，日子過得都不順心。過去當統帥，衝鋒陷陣，攻城略地，痛快極了，做起疆吏來，却處處掣肘，事事不順，連指揮打仗的看家本領都不靈了。莫非眞如大哥所揭示的：曾氏兄弟是爲平長毛而生的？

「唔，唔。」曾國荃輕輕地哼著，點了幾下頭，表示記下了哥哥的話。

「沅甫我這裏有一首詩，你看看。」曾國藩抽出屜子，從一個大信套裏拿出一張精美的梅花水印箋來，遞給九弟。

曾國荃接過一看，水印箋上是一首七律。他輕輕念道：「祇將茶薞代雲觥，竹隖無塵水檻清。金紫滿身皆外物，文章千古亦虛名。因逢淑景開佳宴，自趁新年賀太平。猛拍闌干思往事，一場春夢不分明。」

「你看看，這首詩像是什麼人作的？」

曾國荃握紙沉思好半响，才慢慢地說：「『金紫滿身』，看來是個大官，『文章千古』，又是一個擅長詩文的人。只是最後兩句不好理解。『一場春夢』，這是說的什麼呢？難道說詩人對自己過去的作爲有所悔恨嗎？」

「你分析得很有道理，這是一個身居高位而心懷鬱結的人寫的。」曾國藩凝視著水印箋，右手無力地在髫鬚上撫弄了兩下。

「他是誰，我想不出來。」曾國荃疑惑地望著大哥。

「恭王。」曾國藩淡淡地說。

「恭王？」曾國荃驚訝地重複一遍。

「這是昨天苻農給我寄來的，這首詩的要害就在最後兩句：『猛拍闌干思往事，一場春夢不分明。』什麼是恭王心中的春夢呢？」曾國藩問九弟，九弟直搖頭。

「我看極有可能是指的十一年前的那樁事。」曾國藩自己作了回答。

「大哥是說恭王協助太后除掉肅順的事？」曾國荃盯著大哥，心裏有點緊張起來。

曾國藩點了點頭。

「這麼說來，恭王與太后隔閡甚深？」曾國荃說。

曾國藩仍未做聲，只是又略爲點了一下頭。

「恭王與太后之間爲何有這樣深的隔閡呢？看來當年一罷一復的事，彼此的成見至今還未消除。」曾國荃喃喃自語。

「沅甫呀，這裏的事情太複雜了。」經過一番很久的深思熟慮之後，曾國藩終於鄭重地對弟弟說，「恭王器局開闊，重用漢人，這是恭王的長處；但恭王又過於聰明剔透，晃蕩不能立足，這是恭王的短處。金陵初克，皇家內部便起矛盾，可以看出西邊的太后容不得才大功高的叔子。而叔子又不甚檢點，終於給嫂子抓住了把柄。一個回合下來，叔子敗給了嫂子。同治八年，西太后派身邊的大太監安得海南下辦龍衣錦綉，被山東巡撫丁寶楨拿獲。奏報到京時，恰逢西太后觀劇。恭王與東太后商量後，殺了安得海。在恭王看來，以維護祖制來報當年的一箭之仇，甚是乖巧。他沒有想到叔嫂的怨恨又深了一步。近來爲修圓明園一事，恭王又與西太后意見不合。令人擔心的是，這中間還夾雜一個醇王。醇王胸襟狹窄，才識淺陋。前年津案發生後，他甚至說出搗毀所有在京外國使館，趕走所有洋人的糊塗話來，於此可見他的才具。但偏偏他又愛出風頭，不滿其兄的崇隆地位。他又是西太后的妹夫。我已預感到，恭王總有一天會徹底敗下來，接替其位的必定就是那位七爺。而這一點，恭王自己似乎也有所意識，故有『一場春夢不分明』的感嘆！皇家內部的爭鬥歷來是國家禍亂的根本。李臣章那些人所說的娘偷人、子嫖娼之類事情，或許沒有，即使有，也遠不能與此相比。這就是我剛才對你說的，不要再去想起復做官，安心落意守祖坟的原因所在。你明白嗎？」

這番話說得一等威毅伯目瞪口呆，驚恐不安，好半天才回過神來，心裏仍寒顫不止。

「大哥還有一句老話要對你說，那就是散財求福。」曾國藩從弟弟的眼神中看出了他心靈深處的震動，知道自己這番話能被他接受，於是改以平和的口氣說，「這一點，大哥我知道你受了很大的委屈。得老饕惡名，其實自己沒有占多少非分之財，這也是這些年來你心情鬱鬱的一個大原因。」

「只有大哥你眞正了解我。」聽了大哥這句話，曾國荃很覺寬慰，過後又憤憤地說，「不知哪個絕子滅孫的傢伙取了這個名字，流毒全國。」

「《春秋》責備賢者，這是人之常情。」曾國藩笑道，「你也不必去打聽誰取的名字，既然能流毒全國，這就說明苛責你的人不只一個兩個。再說你也是得了好處。眼紅、妒嫉，是人的通病，萬年以後也消除不了，唯一的辦法是散去一部分。散財分謗，這是古人常用的辦法。我常對紀澤兄弟說，名之所在，當與人同分，利之所在，當與人共享，也是說的這個意思。」

「長沙建湘鄉會館，我捐了一萬二千兩銀子。」

「好，這是一件積大功德的好事。星岡公在日，常說曉得下塘，還要曉得上岸。散財正是爲了上岸。」曾國藩對弟弟這個舉動非常滿意。「今後湘鄉縣的公益之事，如修路架橋起涼亭，冬天發寒衣，青黃不接時施粥湯等等，這些事，我們曾家都要走在別人前頭。弟出一份，我也出一份，還要叫澄侯也出一份。耗銀不多，却可贏得鄉民稱頌，是件惠而不大費的事，何樂而不爲！京師長郡會館多年失修，我還想邀李家、蕭家一起，合資重建一座。這事意義更大，影響也更大。這件事，就由你爲頭如何？」

「行！」曾國荃爽快地答應。他跟大哥的性格截然相反。大哥是愼入愼出，不要一絲分外之物，也不亂給別人一文錢。他是不擇手段地大量攫入，同時亦毫不心疼地大把拋出，這正是他指揮的吉字營能打勝仗的原因。「我想在長沙建一個書局，就如大哥在江寧建金陵書局一樣。書局建好後，先把大哥的詩文奏章書信等刻出來，尤其是大哥在京師期間寫給我們兄弟的家書，當年對我們的教育很大，現在還可以用來教育子侄，刻印出來，定然有功於世。」

聽了這話，曾國藩心中大爲欣慰，十分高興地說：「你有在長沙辦書局的想法，眞是太令我歡喜了。金陵書局的許多現成設備都可以運到長沙去。小岑也老了，思鄉之情日增，正好叫他回去辦此事。弟成就這樁事，可謂有大恩於士林。但所說的第一刻我的文字，這萬萬不可。我的文字只可留給後世子孫觀覽，不可刊刻送人。」

「爲什麼？」曾國荃不解，多少比大哥官位低得多的、平庸無任何業績的官吏們，一到晚年，唯一的大事便是四處張羅爲自己刻集；又有多少比大哥才學差得遠的讀書人求人募款，甚至不惜像叫化子一樣地八方化緣，爲自己刻個某某館主詩滙、某某齋文集等等。大哥究竟是怎麼想的呢？

「我早年對自己的詩文很自負，見京師文壇稱讚梅伯言，頗不服氣，又常恨當世無韓退之、王安石輩可以談論。我一生若孜孜矻矻，窮究不捨的話，或許也可以寫出幾部像樣的書來，但可惜後來又不允許。對經史，對詩文，我都有不少與前人不同的看法，很想記下來，一吐胸中之塊壘。軍務政務太忙，無暇爲此，我常爲之惋惜不已，以爲將成廣陵之散。趙惠甫笑我有漢成帝、明武宗那樣薄天子而好爲臣下之癖，唉！」曾國藩嘆了一口氣，充滿感情地說，「趙惠甫不理解我。我曾滌生出身翰林，長期埋首經叢史集，吟詩作賦、著書立說，才是我心中的帝王之業；帶兵打仗，安營布寨，這是迫不得已才爲之的事啊！惠甫與我天天在一起尚這樣看待我，還不知後世子孫會怎麼誤解我哩！」

「這樣的誤解是好事。」曾國荃笑道。

「不管怎樣，我是到死也沒有一部書出來的翰林，我一生都爲之不安。我不怪王壬秋說我『致身何太早，龍蛇遺憾禮堂書』他說的是實話。我的詩文都是草草寫成，未加細究，一時可以蒙混人，刻出來讓後人一字一句來推敲，那豈不是把我推出來當一個靶子，讓人射嗎？」曾國藩自嘲似地笑了一下，喝了兩口水，又說下去，「胡潤芝死後，他家裏刻了一部胡文忠公遺集，所選不當，我想若潤芝九泉有知，一定會罵人的。他寫給官秀峯的一些信，說了官許多好話，那是潤芝的籠絡手段，並非心裏話。現在官秀峯就把它拿出來，作爲其治鄂的政績。」

「那老混蛋最會來這一手。」官文是曾國荃的死對頭，一提起他就有氣。

「這是給人戴高帽子，雖不合事實，尚不至於結怨。我沒有胡潤芝的涵養，書信中對人對事多偏激之詞，倘若稍不注意傷了人，即使本人不在了，他的子弟也會來找麻煩。就拿同治五年，我們兄弟私下議論李少荃人品的那些話，如果刻出來，他不恨死才怪哩！」

「有的可以刪節。」

「注意到了的可以作刪節，沒有注意到的呢？世上事不怕一萬，只怕萬一，還是不刻的好。我人死了倒無所謂，受牽累的是你和老四，以及紀澤兄弟。」

隔了一會，曾國藩又說：「剛才說到刻書的事，我倒想起一件事來。荷葉塘還存了幾分參劾李次青的副本。次青從我最早，在江西時功勞又很大，別人都高官厚賞，獨他一人至今仍爲長沙一教書先生，我覺得很對他不起。若以後你們刻什麼遺集之類，參次青的那些奏稿就都會刻出來，這不僅益發加重了我的罪，甚至連我的魂魄都不得安寧，所以你們絕對不能去刻集刊印。」

「說起李次青，我記得四哥有次說過，他想退掉那門子親事。」

「不行！」曾國藩打斷九弟的話，不悅地說，「定下十多年的親事，哪有反悔的道理。澄侯的滿女多大了？」

「今年十八歲。」

「你回去對澄侯說，萬不能退，端陽節完婚。我素來嫁女是二百兩銀子的嫁妝，侄女一百兩。他的滿女，我出二百兩，跟紀芬的幾個姐姐一樣看待。」

「好吧，我回去就告訴他。書局的名字我想了一個，叫賢聲書局，大哥你看要得不？」

「賢聲，賢聲。」曾國藩輕輕地念了兩聲。「我看不大合適。盡管我不同意刻我的書，我知道死後還是會刻的。你百年後，紀澤、紀瑞他們也會給你刻個集子，那不等於自吹自擂，傳自己這個賢者之聲了嗎？我看不是傳賢者之聲，而是傳忠貞之心。你看呢？」

「是的，大哥想得遠！」曾國荃恍然大悟，「就叫傳忠書局。」

「對，這個名字好。」曾國藩稱讚。「沅甫，我叫你看地的事辦得如何了？」

去年，曾國藩寫信叫四弟九弟代他在荷葉塘覓一塊墓地。這次來時兩兄弟商量好了，一到江寧，見大哥病勢嚴重，曾國荃反而不好主動說了，怕引起大哥傷感。

「我和四哥請了十多個好地仙，在荷葉塘周圍找了兩個月，再也找不出一塊好地來，最後兩兄弟合計，只有將父母親大人的棺木取出來，重新再調擺一下，就可以騰出一穴地來。」

那年被陳廣敷稱之爲大鵬鳥嘴口的凹地，在曾國藩出山後不久，江氏老太太的棺木就葬在上面了。當時還有意留下一個穴位，讓老太爺用。後來老太爺也葬下去了，那塊凹地就不能再葬了。爲了讓大哥滿意，曾國潢提出了這個主意。

「這萬萬使不得。」曾國藩連連搖頭。「使父母親大人的魂魄不得安寧，我何能心安！荷葉塘既然沒有地，我死之後也不必把靈柩運回湘鄉。那年在長沙辦團練時，我在善化坪塘看上了一塊地。一個小山包處兩條山脈之中，遠看猶如二龍戲珠，就將我葬在這個珠上吧？這雖不是上等好地，也可以算得個中平，能使後世子孫清吉。天道忌盛，我一向喜歡『花未全開月未圓』這句話。曾家在我們兄弟這一代出侯出伯，應該滿足了，不要指望在三四代內再出將相，只要求得子孫讀書識字、平平安安就行了。」

「大哥放心，這件事可以做得到。我回湖南後專門到坪塘去看一看，問問那個山包是誰家的，把它整個買過來，乾脆就在長沙城外再添一座祖山好了。」

曾國藩滿意了。閉目養了會神，他突然想起久未見面的六弟國華來。

「有五六年未去看溫甫了，你這次回家，順路去看看他，把紀壽這幾年讀書大有長進的事告訴他，也讓他高興。」

曾國荃沒有做聲。曾國藩覺得奇怪：「我剛才說的話，你聽見了嗎？」

曾國荃還是不做聲，許久，才徐徐說：「六哥兩年前便得道歸山了。」

「你是說溫甫，他早就仙逝了？」曾國藩驚訝莫名，心頭「怦怦」亂跳不已，「你們怎麼知道的，爲什麼瞞著我？」

「前年秋天廣敷先生去寶慶訪友，特地繞道來到荷葉塘，將這不幸的事告訴了我們，說溫甫在牯嶺採藥時，不愼從懸崖上跌下來，摔死了。當時大哥正在辦天津教案，心情抑鬱。我和四哥商議，暫時瞞著。這次我見大哥身體不好，也不敢提起。」

「就準備瞞到底？」曾國藩問，眼眶四周已濕潤潤的了。

「嗯。」曾國荃輕輕的回答，聲音只有他自己才聽得見。

「我對不起溫甫。」沉默一段很長時間後，曾國藩從心底裏吐出一句話來。

「我這次回湖南時將在九江上岸，把六哥的遺骸帶回去歸葬祖塋，不能讓他孤魂無依。」曾國荃說著說著，動起手足眞情來，潸然淚下。

曾國藩的心情本來就夠沉重了，九弟的這句哀傷的話又益發加重了負疚之心的重量，但他想到溫甫的遺骸一旦運回家中，豈不多出許多痲煩來，說不定隱瞞了十多年之久的事又會因此而徹底暴露。不能！他狠了狠心，說：「你到廬山去，給他的坟頭培培土，磕三個頭就算了。溫甫在廣敷先生的啓迪下，已將人情生死都看透了，也不會有孤魂在外的哀怨，不必再歸葬祖塋了。」

曾國藩茫然望著九弟，眼睛裏慢慢流出幾滴渾濁的淚水來。許久，他輕輕地對國荃說：「九弟，明天你安排一條小火輪，叫叔耘到廬山去一趟，把廣敷先生接到江寧，我想見他一面。」

十一　陳廣敷三見曾國藩

十天過後，薛福成走進了督署書房。

「廣敷先生呢？他不在廬山，還是不肯來？」見只有薛福成一人進來，曾國藩奇怪地問。

「廣敷先生來了，他到鷄鳴寺去了。」薛福成笑著回答。

「他爲何不到督署來見我，卻要去鷄鳴寺？」曾國藩愈發奇怪了。

「他有一封信給大人，還有件小禮物。」薛福成取出一封信和一個野藤編織的小籠子來，放在書案上。

曾國藩打開信來，上面寫著：

爵相大人鈞鑒：

大人不忘舊情，派人來廬山相邀，令山人且喜且愧。然山人道裝十餘年，不習慣再著世人之衣冠，其貌又甚醜陋，見者皆以爲鍾馗復生，二者均不宜進督署。鷄鳴寺靈照長老智慧圓通，乃山人老友，山人不揣冒犯，恭請大人枉駕雞鳴寺，一敍別情若何？

知大人近來不適，特託叔耘先生呈小丸三粒。此乃山人採天地之精氣，集山川之珍華，積數年之力而成。大人白天屏息思念，夜間臨睡前呑服一粒。第四天上午，山人在鷄鳴寺山下敬候車駕。

江右陳廣敷頓首拜上

曾國荃在一旁看了，說：「廣敷先生倒擺起款式來了！天氣寒冷，大哥身體又這樣弱，如何去得鷄鳴寺？明天夜晚，打發一乘轎子把他接進衙門來就行了。」

曾國藩說：「信中的潛台詞你沒看出來，道裝、醜貌都是託詞，廣敷先生的本意是不願進衙門，怕有損他的道家風骨；且信上還說鷄鳴寺的住寺智慧圓通，也可能是想讓我與靈照也見見面。他送了三粒丸子，話說得神奇，先吃了後再說。」

說完從藤籠子裏掏出一個小油紙包。打開油紙，露出三粒褐黃色小藥丸，書房裏立刻香氣四溢。曾國藩高興地對九弟說：「廣敷先生精於歧黃，說不定這是三粒仙丹哩！」

「若眞的如廣敷先生所說的，吃了這三粒丸子後可以上得鷄鳴山，那眞是一件大好事，我們還得好好謝謝他。」一向對陳廣敷很尊敬的曾國荃也樂了。

「叔耘，你明天去鷄鳴寺告訴廣敷先生，就說我一切照他的話辦。」

當天，曾國藩便遵照廣敷所囑，白天什麼事都不想，也不看書看文件，晚間服了一粒丸子後便早早地睡了。第二天早上醒來，覺得精神好多了。紀澤扶著父親走出房外，繞著屋子轉了一圈，進屋後居然能吃下一碗紅棗稀飯。三天下來，曾國藩精神大振。到了第四天早上，他彷佛覺得百病袪除，完全康復了。曾國荃讚道：「廣敷先生眞是神仙，我們向他多討幾粒來。」

一連晴了好些天，今天又是一個大晴天，初春的江寧城，比往年這個時候要和暖得多。吃過早飯後，兩頂普通民轎抬出了總督衙門，後面跟著幾個家人打扮的兵弁。

兩江總督衙門與鷄鳴山相隔並不遠，不到半個時辰，兩頂轎子便停在山脚了。曾國藩、曾國荃兄弟剛走出轎門，老遠便看見一僧一道正朝著他們走來。道人走在前面，穿著一襲杏黃長棉袍，頭上帶著空頂硬沿黃道冠，一束白髮挽成一個圓髻露在外面，橫插一根牛骨簪子，醜陋的面孔上綻開祥和的笑容，顯然是廣敷先生。稍後一點的和尚披一件色彩斑爛的大紅銷金袈裟，胸前掛一串黑亮發光的念珠，頭上不戴帽子，臉上、頭頂都煥發出一種奕奕神采。曾氏兄弟知道，這一定就是靈照長老。

「罪過，罪過！大冷天氣，勞動大人和九帥。」廣敷樂呵呵地迎上前去。

「兩位大人大駕光臨，寒寺生輝，請恕貧僧未能遠迎。」靈照雙手合十，腰微微彎曲。

「廣敷先生，今天能與你重見，實爲一大樂事。你還是這樣健旺，眞讓我們羨慕。」曾國藩說完，又轉臉對靈照說：「結識法師，榮幸之至，能借寶刹與故人相會，鄙人深致謝忱！」

曾國荃大聲說：「廣敷先生，多謝你的仙丹，大哥病了兩個多月，現在全好了。」又問靈照，「長老高齡？」

廣敷答道：「法師比我大五歲，今年七十八了。」

「見笑，見笑，貧僧一無所能，虛度歲月，徒增馬齒，在兩位大人面前無地自容。」靈照謙和地合掌叉手。

陽光下，靈照的大紅袈裟閃閃發光，在曾國藩昏花的眼睛裏，面前站立的彷佛一尊光芒四射的金羅漢。再看看自己這副病弱之軀，暗思：眞正無地自容的，倒應該是我才對。寒暄一陣，準備上山了，廣敷和靈照都堅請曾國藩再坐進轎去，以便抬著上山。曾國藩看看山不高，路也不陡，說：「還是讓他們攙扶著上去吧。登山遊覽，是我年輕時最愛做的事，這次怕是今生最後一次了。」

見曾國藩這樣說，廣敷和靈照都不便再堅持，遂由兩個兵士一左一右地攙扶著，一步一步地走上山來。

鷄鳴山在江寧城北，山不高，風景却很秀美，是六朝舊都的一個名勝之處，遠在三國時，這裏便闢爲孫吳王朝的後花園，西晋將廷尉署建於此。梁武帝蕭衍篤信佛教，他在鷄鳴山上首建同泰寺。那時金陵城寺廟很多，杜牧詩曰：「千里鶯啼綠映紅，水村山郭酒旗風。南朝四百八十寺，多少樓台烟雨中。」這就是武帝時代的眞實寫照。而同泰寺，則位居四百八十寺之首。不久侯景作亂，叛兵圍台城時，該寺毀於兵火。以後雞鳴山上相繼建了千佛寺，淨居寺，圓寂寺，法寶寺。明洪武二十年，朱元璋在紫金山看中了一塊地，用它建皇陵，要將建於這塊地上的靈谷寺志公墓遷走，遂在同泰寺舊址上建雞鳴寺，志公遺骨則葬於寺前，建塔五級，塔旁建施食台。清初，施食台崩潰，近兩百年間未修復。去年靈照向江寧知府稟請重建施食台，知府報告總督衙門，曾國藩同意重建，並批給兩百兩銀子，不足部分由雞鳴寺募捐彌補。

這時，一行正來到施食台旁，靈照豎起左手掌，對著曾國藩說：「阿彌陀佛，此台全仗總督大人的力量建成。去年，得知總督大人親自批給銀兩的消息後，十方善男信女無不踴躍捐助，半個月內便得銀兩千多兩，不僅修好了施食台，連僧寮也作了翻修，衆僧日日在佛祖面前祈禱，請佛祖保祐大人早日康復。」

曾國藩聽後笑了笑，也未做聲。客房裏早已生好了炭火。進房後，兵弁侍候脫下了披風。幾個和尚忙著端茶水果品，殷勤招扶。略坐片刻，曾國荃說：「聽得雞鳴寺有一座好梅園，長老帶我們去看看吧！」

靈照忙說：「是的哩，不是九帥提起，險些忘記了。眼下臘梅開得正好，貧僧這就陪二位大人前去觀賞。」

出了客房，穿過僧寮，來到鷄鳴寺的後院。眼前突然出現三四百株梅樹，高高低低，疏枝交錯，形成一片樹海，古銅色的枝杈上沒有葉片，只見星星點點的黃色小花朵，一股淸淸幽幽的暗香瀰漫在鷄鳴山上，直沁人心脾。曾國藩不覺嘆道：「這麼好的梅林，眞是難得，千姿百態，鬥霜傲雪，每樹梅花都是一首詩！不知雪琴來過沒有，早知有這麼一片梅樹的話，一定要請他來觀賞。」

廣敷笑道：「還是不讓他知道爲好，他若是看到了，定然會賴在鷄鳴寺不走。誤了水師的大事，靈照長老眞還擔當不起哩！」

說得衆人都笑起來。

曾國藩又嘆道：「歲寒三友，我愛竹，雪琴愛梅，潤芝在日愛松，松本最堅固，却不料潤芝先凋謝。」

見曾國藩面露傷感，陳廣敷忙叉開話題：「曾大人，你知這座梅園的來歷嗎？」

「不知，今日倒要聽你說說，以廣見聞。」

「我也知之不詳，還是請靈照長老講它的典故吧！」

靈照說：「據敝寺譜諜記載，明永樂年間，道衍法師佐成祖成就帝業後，復姓姚氏，帝親賜名廣孝，遂回蘇州祭祖。這天路過金陵，宿在鷄鳴寺。住寺法深長老在後院大設齋宴款待，稱讚道衍法師以空門而入廊廟，實爲我佛家弟子的驕傲，也爲佛祖臉上增添光彩。道衍聽後心中甚喜，說：『太祖以和尚而爲天子，才眞正可以說爲佛門大增光輝，我道衍不過卿相而已，所添光彩亦不大。不過，太祖是眞龍天子，非常人可比，也不是常人所應當去攀比的，倒是我佛門若常出些卿相，輔佐英主安定天下，那才是功德無量了。』法深長老和衆僧一齊說：『法師說得最好。』道衍帶著幾分酒醉說：『《書經》上說：若作和羹，爾惟鹽梅。這是殷高宗命傅說爲相之辭。調羹不能離鹽和梅，治國不能無宰相，我希望在今天擺筵席的這塊土地上，種幾百株梅樹，以此祝賀鷄鳴寺日後能出治國安邦的宰相。』道衍的話贏得全寺僧人的由衷讚賞。第二年春天，法深長老便帶著大家種了五百株梅樹。從那以後到今天，四百多年過去了，代代僧人都愛護這片梅園，施肥鋤草，從不間斷，遇有老死病死之樹，則換幼苗以補之。據說當年法深長老所栽的五百株樹中，至今尙有三十多株活著，仍然年年開花，歲歲結子。」

衆人一片讚嘆。曾國荃說：「古話說千年梅樹開新枝，果然不假！」

曾國藩心想：都說佛門是清淨無爲之地，僧尼爲出家離世之人，爲何鷄鳴寺朝朝代代的和尙功名之心這等濃烈，一個背棄佛家宗旨的人一句醉後戲言，竟然當作聖旨似地供奉，一直被誇耀到今天！

靈照說：「梅園右側下去幾步就是胭脂井，兩位大人不妨也去看看。」

曾國藩一行又來到胭脂井。相傳隋文帝的兵馬打到金陵，後主陳叔寶帶著寵妃張麗華、孔貴嬪逃到鷄鳴山，在一口水井邊停下來。張麗華掏出手帕來擦拭圍井的石欄杆，好讓後主坐下歇息。手帕上的胭脂塗在石頭上，居然被石頭吸了進去，再也磨不掉了。以後，文人們便把這口井叫作胭脂井，並藉此敷衍出不少風流故事來。

曾國藩對亡國的陳後主沒有同情心，看了一眼後，便走到一個高處眺望四方，只見北邊的玄武湖水光瀲灩，東邊的紫金山山色空濛，他覺得這造物主所結構的湖光山色，才眞正可以一洗胸懷萬里塵。

曾國藩已覺得累了，於是大家都回到客房。張羅一陣後，靈照說：「鷄鳴寺別無長處，只是幽靜得好。你們老朋友在這裏敍敍舊情，我去關照一下佛事，等會再來。」

靈照輕輕把門帶上，出去了。

曾國藩說：「溫甫在廬山這些年，多蒙道長照看。仙逝後，又多虧了道長料理後事。我曾氏一門感激不盡。」

曾國荃說：「溫甫去世的事，那年道長告訴我們，因大哥多病，一直瞞著沒有告訴他，直到這次才說出。大哥傷悼不已，說務必請道長來江寧聊一聊。」

廣敷臉色沉重起來，說：「六爺盛年辭世，是我有負大人的重託，內心一直爲此事疚愧。但好在六爺在黃葉觀幾年，已將世間人事洞悉，臨走時心情坦然，也確實難得。」

「是的，道長說得好。」曾國藩平靜地說，「人總歸有一死，溫甫能無恨意而去，也就足堪告慰祖宗了。」

廣敷說：「六爺坟頭上草木茂盛，可卜後世一定發達。」

曾國荃說：「正是道長所說的，溫甫的兒子紀壽在子侄輩中格外聰明些，將來或許眞的有大出息。」

陳廣敷提起曾國華坟頭長草的事，立即勾起了曾國藩對二十一年前他來荷葉塘獻地時情景的回憶。當年出山，雖不完全出自於廣敷那番看相預卜之類的鼓動，但那番話的確起了重要的作用，增加了取得勝利的信心；而對溫甫、沅甫、貞干來說，則有著不可估量的影響。曾國藩又想起十五年前，他煞費苦心在碧雲觀等待，以「黃老可醫心病」的妙語開導自己；這些年來，老莊柔道處世的學問，使他免去了許多煩惱糾葛，保住了表面上的泰裕平安。

曾國藩想到這裏，對陳廣敷充滿了感激：「廣敷先生，今天是我們的第三次相會，歲月匆匆，不覺過去了二十一年。鄙人有幸能在人生轉捩點上，兩次得到先生的點撥，於迷茫時看到希望，在急流中躲過險灘。說句實在話，若沒有先生，就沒有鄙人下半生的事業。鄙人素知先生超凡脫俗，早已將人世的功名富貴看破，既不需要鄙人以爵位祿利來酬謝，也不需要鄙人命幕僚記事跡於史冊，傳英名於後世。今日將先生從千里之外請來，目的只是爲了當面表達鄙人的謝忱。同時，先生之高明，二十餘年來，一直爲鄙人所傾心仰慕。不瞞先生說，鄙人從二十八歲離開家鄉以來，三十多年裏，結交的王公大臣、賢員幹吏、英雄豪傑、俊士逸才，當以數百上千計之，而眞正的睿智明達、倜儻瀟灑者，却少有幾人可比得上先生。鄙人雖小先生十幾歲，然因終未得老莊養心之眞諦，致使病入膏肓，自知在世之日不多，亟欲在死之前能聆聽先生對鄙人一生的批評。這些年裏，鄙人聽奉承的假話多，得批評的眞言少。聖人曰：朝聞道，夕死可矣。倘若得先生幾句眞言，鄙人即使明日就死，亦無憾矣！」

一等毅勇侯這番出自肺腑的話，使黃葉觀老道士備受感動：「山人早年浪跡江湖，所學所交，皆零亂駁雜，知命之年以後，方才收心學道，然所得至陋至淺，雖著道袍道冠，實未進得道家門檻。這一生能經筠仙紹介，得以結識大人及大人一家，又親眼見大人昆仲功成名就，身爲侯伯之榮，像繪凌烟之首，使山人二十一年前的預言沒有變成荒謬，眞是萬幸。大人至誠之心，令山人感佩。二十餘年來，大人一擧一動，盡在世人關注之中，山人也在一旁冷眼觀看，確有許多話想對大人說說，惜未遇其時耳。鷄鳴寺乃化外之地，九帥又是大人至親手足，今日山人就姑妄言之吧！」

曾國藩說：「正要聽先生高論。」

曾國荃也說：「先生料事如神，析事入微，什麼話都可以直說不妨。」

廣敷將曾國藩凝視一眼，然後端起茶碗抿了一口，放下碗說：「大人一生功業非凡，這一面世上稱頌的人已經太多了，山人也就不說了。山人要說的是另一面，那就是大人一生給自己，也給歷史留下了一樁大憾事。說明白一點，即大人自己的企望和世人對大人的期望相距甚遠；大人自己的期望不可能實現，而世人期望於大人的，大人又不願意去做。這，便是憾事。」

出人意外，石破天驚，曾氏兄弟都爲之愕然。

「三十年前，大人吟詩：『生世不能作夔皋，裁量帝載歸甄陶，猶當下同郭與李，手提兩京歸天子。』那時山人已知大人的志向，郭、李之業，猶是等而下之之事，大人的目標是要像夔和皋陶那樣敎化世人，輔佐皇上復興一個風俗淳厚的堯舜之邦。因此，滅長毛，鎭捻寇，建蓋世軍功，取五等爵位，盡管這是湘軍千百個書生將官的最高願望，然而却不是大人的極終目的。金陵收復後，大人力矯江南之弊，捻寇平息後，大人首倡洋務之擧，山人知道，大人所做的，正是當年所理想的甄陶帝載的夔皐之學。」

曾國藩深深地嘆息道：「廣敷先生，難得你對我的苦心知道得這樣深切。高山流水，不足以喻你這個知音！」

「大人謬許了。其實大人所做的事，天下能理解者甚多，不獨山人一人而已。」

「不然，以鄙人自己所見，天下知者甚少。」曾國藩想起深夜來訪、取走圍棋的康福，心裏有著無限的委屈感。

「我看大哥的心事，眞正懂得的怕也不多。」曾國荃附和著說。

「不能這樣講。」廣敷正色道，「只能說知之者不少，和之者甚少而已。」

「這究竟是什麼緣故呢？」「和之者甚少」一句道中了曾國藩的心病，他爲此不知痛苦過多少年。作爲一個時刻關心自己的老朋友，作爲一個方外人，廣敷先生一定能深知此中機奥，曾國藩願向他虛心求教。

「這是因爲大人之心甚善，而大人之爲不可取。」陳廣敷將聲音稍稍壓低，「滿人的江山已經百孔千瘡，腐爛朽敗，它失去了建立堯舜之邦的基礎。」

曾國藩發現這幾天陡然興起的精神已經不行了，如同海水落潮似地正在一寸一寸地向下跌落。曾國荃拾起一枚乾梅子放在口裏慢慢嚼著，這梅子又酸又澀。

「大人深受皇家恩澤，或許看不出這點，而許多人是看得很清楚的；也或許大人早已看出，但要知其不可而爲之，竭盡全力扶起將傾的大廈。可是，許多人是寧願看著它倒塌的。這便是知之者不少、和之者少的緣故。」

「廣敷先生，鄙人倒要請教。」曾國藩强打起精神問，「鄙人幼讀先賢之書，明白知其不可爲而爲之乃聖人所肯定的血性，即使所爲不成，亦是值得讚許的。鄙人的這種血性會不會得到後人的讚許呢？還有，既然這江山已百孔千瘡，當年先生爲何要勸我墨絰出山，血戰長毛，匡護朝廷呢？」

廣敷淡淡一笑：「知其不可而爲之，聖人雖肯定過，但並非就是至理名言，這種血性也並非就一定會受到後人的讚許。比如忠桀紂之君，復暴秦之國，爲人臣者，雖具血性，亦大不可取。至於山人先前勸大人出山，乃已知長毛決不可成事，且山人亦另有所期待也。」

「另有期待？」曾國藩問，「期待何事？」

「山人所期待的，也正是許多有識之士所期待於大人的，那就是希望大人藉討伐長毛之機會，鍛鍊出一支强大的漢家子弟兵，先剪滅長毛，次推翻滿虜，最後在我神州大地上重建堯之都，舜之壤，禹之封。正因爲如此，咸豐八年，我在碧雲觀靜候大人三個月之久，藉治病爲由，勸大人行黃老之術，以屈求伸，日後好建非常大業。」

曾國藩大驚，他驚的不是這番話的本身。勸他行非常之事的人已經太多了，他對這話也不感到新鮮了，他驚的是一個方外之人，居然也存有這種光復漢家河山的强烈願望，而且爲了這個願望的實現，費盡心機去點撥他，同時又將這個願望壓得深沉不露。一個如此奇特，如此高明，如此將個人名利視若敝履的出世之人，也都希望自己行非常之事。自覺精神已散死期已近的前湘軍統帥、而今位極人臣的爵相，在心裏暗暗地問自己：難道滿人的朝廷眞的已人心失盡，自己的抉擇眞的錯了嗎？

「廣敷先生，可惜了，你爲何不早說呢？」前吉字營統帥、現賦閑在家的一等威毅伯面露喜色地問。

「打下安慶時，我由廬山來到黃石磯，在紫荊觀住了兩個多月，本擬伺機進言，後在江邊偶遇王壬秋。他說起大人連送他三個『狂妄』的事，我只得打消這個念頭。打下金陵後，我又去了棲霞山，後來看到湘軍幾乎被裁盡，大失所望，從此不想再見大人了。」

「廣敷先生，事情難道眞的可爲嗎？」嚴守自己信仰的理學名臣不自覺地發出了這個提問。

「怎麼不可爲？」陳廣敷堅定地反問，「湯武革命，順天倡義，三千年來史册讚不絕口。劉邦斬蛇起義，李淵起兵反隋，趙匡胤陳橋兵變，朱元璋驅趕韃子，從來都認爲是正義的行爲，沒有人指責他們是叛臣。自從滿人入關以來，二百年間，漢人的反抗從未間斷過，只因康乾所謂的盛世帶給百姓以微利，才苟延至今。然自嘉慶朝以來，滿人之腐敗日見明顯。到了道光末造，外辱於四夷，內爛於十八省，神人共憤，才有了洪楊之亂。咸豐帝耽於酒色，荒廢國事，女主垂帘十年來，舉措倒置，普天之下，從南到北，從東到西，百姓莫不翹首盼望我漢家再出英雄，驅除羶腥，復我神州。大人手握十多萬雄兵，本可挾滅長毛之威，一舉而克北京。只可惜大人囿於忠君敬上之小節，無視拯國救民之大義，更加上大人秉賦拘謹怯弱，終於只爲保己身及曾氏一門的安全而裁撤湘軍，自剪羽翼，失去了大好時機，辜負了億萬百姓的熱望，爲史册留下一樁永不可挽回的遺憾！」

曾國藩聽了目瞪口呆，想不到自己奉行了幾十年，一生沾沾自喜、以爲可以留芳百世的忠君敬上，竟然被這個方外人譏爲「小節」，難道說，讀書千萬卷，竟沒有讀通麼？曾國藩茫然不解。曾國荃却說：「先生所論，實在高明極了。」

「大人，到了今天這個時候，山人我不得不直說了。一家一姓，國家兆民，兩者相比，孰重孰輕，孰大孰小，這對普通人來說，是個不難回答的問題。然而許多讀書明理的大人君子却常常愚昧得很。他們之所以在這件事上表現出愚昧，並非識見不夠，乃由於私心所充塞也。大人幾十年來，孜孜矻矻苦讀詩書，克己復禮砥礪品行，身先士卒統率湘軍，夙夜匪懈以勤政事，但這一切，都被『忠君敬上』所匡限。若在盛世，此誠可以附驥尾而行千里，件麗日而照後世，可是大人生不逢時。今者，愛新覺羅氏置國家於水火，令兆民遭塗炭，朝廷正可謂日薄西山，氣勢奄奄，朝不保夕，行將就木，大人欲滅長毛後而使滿清中興，豈不是緣木求魚，又好比南轅北轍。孟子說得好：『民爲貴，社稷次之，君爲輕。』又說：『君之視臣如土芥，則臣視君爲寇仇。』弔民伐罪，征討寇仇，有何不可？大人要問山人對您一生的批評，批評就在這裏：幾十年來，一直囿於忠於一家一姓之小節，遺忘了拯救國家百姓之大義。千秋史册，或許會說大人是愛新覺羅氏的忠臣，但很可能不會認爲大人是光照寰宇的偉丈夫。」

這一段話，說得曾國藩似有大夢方覺之感。他想起自衡州出兵前夕王闓運的暗室密談，到金陵打下後彭毓橘等人的大鬧公堂，其間不知有多少人說出推翻滿人、自立新朝的話，但所有人的立論角度都與陳廣敷的不同。他們都是從不能受制於人、要自己做皇帝的角度出發，誰都沒有像廣敷先生這樣，從天下百姓的利益著眼。是的，廣敷先生說的是放之四海而皆準的至大至公的道理，的確不能爲一家一姓而犧牲國家兆民。可惜，這一切都晚了！也可惜，這一生六十個春秋，早已把大清朝忠臣的形象鑄定，曾國藩不可能也不願去改變了。

像看出了曾國藩心底深處的秘密似的，陳廣敷又說出一番話來：「山人所言頗爲急切，其實，十年前，壬秋先生爲大人所謀畫的自請入覲，對大人來說，實在是一個兩全其美的上上之策，可惜大人未及細究，便以『狂妄』斥之。不是山人作事後諸葛亮，倘若大人當年少考慮些一己得失，多想些國家長遠利益，毅然率師進京，實行兵諫，抬出『祖制』這個尚方寶劍來，諒兩宮太后不敢跋扈。肅相、恭王和大人內外携手，定可將國家置於磐石之上，决不會出現今日分崩離析之狀。雖然依舊是滿人坐江山，但百姓至少可過幾天安寧日子；對大人來說，既是大清朝的忠臣，又是給百姓帶來實惠的救星，日後在史册上的地位定然不低。」

曾國荃拊掌笑道：「廣敷先生，你這些議論，句句都與我的心思暗合，你爲何不早一點到江寧來呢？」

廣敷嘆道：「這都是天數。天數注定我華夏文明之邦要遭受劫難，這劫難大概在幾十年內還不會消除……」

陳廣敷正說得興起，還想直言快語地議論一番，一眼看見曾國藩臉色灰白，額頭上虛汗淋漓，頭已歪倒在靠椅上，嚇得趕忙停了嘴。曾國荃見狀，驚呼：「大哥，大哥！」

廣敷過來，按住曾國藩的脈搏，又從包袱裏掏出一根兩寸多長的銀針來，對著中指十宣穴位深扎了一針。一刻鐘後，曾國藩慢慢醒過來了。曾國荃說：「廣敷先生，你託叔耘帶來的三粒丸子，家兄吃後精神大好了，你是不是還可以給幾粒呢？」

廣敷靜下心來，給曾國藩探脈，發現脈息微弱，精氣已散，知他頂多只有三個月的日子了，於是低沉地說：「藥丸製造不易，須採春之花、夏之葉、秋之實、冬之根，至少歷一整年方可成功。上次所送的三粒，乃集五年之功而成，用的花葉實根都是最好的。明年此時，山人再送三粒來，只是效果沒有這次的好。」

這時，靈照法師進門，興沖沖地拿著一卷發黃變黑的素絹來，對曾國藩說：「大人，歷代住持都說這是當年道衍法師在敝寺的親筆題詞：請大人幫貧僧鑒定下。」

說著抖開素絹。曾國藩睜開乏神的眼睛看時，只見上面寫著：

我太祖洪武皇帝在沙門中立定拯民水火之志，千辛萬苦而後驅除韃子，復我漢唐舊邦，實佛門之光彩，僧尼之榮耀。

曾國藩似乎覺得靈照是在藉道術的名義來譴責他，心裏一時痛苦萬狀，頭一暈，又昏迷過去了。

十二　遺囑念完後，黑雨傾盆而下

曾國華的死耗給即將油盡燈乾的曾國藩無疑是一個沉重的打擊，陳廣敷的直率批評，又造成他心靈深處新的痛苦。他反反覆覆念叨著「小節」「大義」四個字，將它們翻來覆去地做了多次比較，他最終還是不能接受廣敷的批評。即使從國家兆民的大義出發，他也覺得不能做趙匡胤式的人物。

當時，湘軍近二十萬，又挾攻克金陵的聲威，做爲最高統帥，在衆多貼心將領的請求下，他的心只要稍稍動一下，陳橋兵變的事就會重演，黃袍加身也不是不可能的。但是，接踵而來的，必然是更加殘酷的流血搏鬥，更加曠日持久的兵刃相爭。說不定只要他在東南登基，立即就會有人在西北稱王，在中原稱帝，整個中國大地就從此更無一塊安寧之土，億萬百姓更無喘息之日。劫後餘生的百姓第一需要的便是和平。爲了改朝換代，再次把他們推入戰亂兵火之中，不正是對他們犯下滔天之罪嗎？千秋史册，將又會如何評價這件事呢？這一點，廣敷先生卻沒有想到。怕不成功聲名全毀的怯弱之心固然有，不忍背叛皇家的忠貞之心誠然很重，而一個孔孟信徒對天下蒼生的責任感，也不能說完全沒有。

至於中興大業，他的確感到失望，由自己來做陶鑄世風的夔、皋、周公，今生是不可能了，但他還是抱有一綫希望。這希望寄託在容閎正在操辦的幼童出洋一事上。他認爲，只要有一大批掌握泰西先進技術的人才，在中國廣建工廠，製造船炮機器，大清朝今後仍然是可以强盛的。

曾國藩這樣想過後，心裏坦然多了，令他難受的，倒是六弟的形象這些日子來常常出現在他的腦中，揮之不去，驅之不散。特別是那天深夜，貞干把溫甫從破窖裏帶到他的面前，當他冷冷地看著溫甫，要溫甫到廬山去隱居，一輩子不要出來時，溫甫那驚恐的面容，那絕望的眼光，深深地尖利地刺痛了他的心，擾亂了他的神智。

「是我毀了他！」這些天來，曾國藩不只一次地在心裏這樣譴責自己，詛咒自己。他覺得自己死後將無顏見父母，見叔父，更無顏見溫甫。曾國藩很覺奇怪，十三年前的他怎麼會如此殘忍絕情，會如此將名望事業看得重於一切。其實，只須一紙奏章，將溫甫未死僥倖逃出的事實稟明就行了，「滿門忠義」的匾取下來又有何妨呢？自己也不是存心欺君的呀！再說，溫甫活著回來，難道就不是忠義嗎？當時如果冒著被皇上責備的風險，將溫甫留下，他何至於活生生地有家不能歸，有妻兒不能團聚，青燈黃卷守古觀，客死異鄉成野鬼！說不定他也會封侯封伯，插花翎，披黃馬褂，榮榮耀耀，風風光光。不能再對不起胞弟了！他把九弟喚到病榻邊，沉痛地說：「過些日子你到廬山去，把溫甫的遺骸挖出來，在黃葉觀火化，把骨灰妥善裝好。我死之後，你把溫甫的骨灰盒放在我的頭邊，我要和他永遠相伴左右。」

曾國荃含淚點了點頭。

過兩天，精神略覺好一點，他掙扎著下床，在庭院裏散散步。又裝出一副若無其事的樣子告訴夫人，墓地已最後定在善化坪塘，並風趣地說，誰先去，誰就負責看守那顆寶珠，莫讓別人搶去了，待後來的一到就合冢，前面只立一塊碑。又長久地撫摸著夫人的手，約定來生再結美眷。那時，他一定老老實實地呆在翰林院，天天廝守著她，做一個畫眉的張敞，接案的梁鴻。說得夫人微笑著，心裏又甜又苦。

他又記起左宗棠囑託的事情還沒辦。他很感激左宗棠對自己的眞心信賴和恰如其分的讚譽。多年來，曾國藩的耳朵裏已聽膩了門生幕僚下屬的頌揚。他們把他比作方叔、召叔、諸葛亮、房玄齡，比作郭子儀、李光弼、李泌、裴度、王陽明，比作韓愈、歐陽修、柳宗元，甚至還有人將前賢的長處都集中到他一人身上，說他德近孔孟，文如韓歐，武比郭李，勛過裴王，是一代完人，後世楷模，不僅大清朝找不出第二個，就是古代也少有幾人可以比得上。這些頌揚，他只是聽然後哂之。

他有自知之明，知道自己的德行不能望孔孟之項背，勛業也不足以跟裴王相比，用兵打仗其實是外行，不僅不能比郭李，就連塔羅彭楊都不及。至於他最爲自信的詩文，冷靜地檢討一下，也沒有幾篇可以傳得下去的。後世文人永遠記得韓歐，不一定能記得還有一個曾國藩。他自己認爲，二十年來，所以能成就一番事業，一靠對皇上的忠心，二靠別人的襄助。倘若沒有衆多傑出的軍事人才的輔佐，他一介文弱書生，憑什麼以武功名世？那些人，絕大部分是他或識之於風塵，或拔之於微末，或破格委之以重任，用之任之，不猜不疑，讓他們大膽地充分地施展自己的才具。他有時私下裏也曾很得意地想過，人世間有大大小小數不清的才能，識人用人是一切才能中的最大才能，自己能淸醒地看到這一點，並運用得自如，的確是一樁幸事。

現在，左宗棠以豐偉之功績，處崇隆之地位，又兼目空一切之個性，加上不睦八年之特殊關係，從遙遠的西北戰場給他寄來情意眞切的信，用「知人之明、謀國之忠」來概括自己一生的優長，又用「自愧不如」來加以襯墊，的確是不偏不倚，不吹不捧，恰中肯綮，入木三分。他對左宗棠，能不欽佩感激嗎？這八個字，他自認爲可以受之無愧，也必定會得到當世的公認，後人的重視。不要說劉松山是自己派到西北援左的大將，就憑左宗棠這八個字，他也要不負老友所託，帶病爲劉松山寫一篇文意俱佳的墓志銘。

他回憶著劉松山從一個毛頭小伙子來長沙投團練的情景，回憶著湘勇裁撤之後，劉作爲後期重要將領所起的作用，想像著在金積堡戰役冒矢衝鋒，終於馬革裹屍的悲壯場面。一時間，又從劉松山想到彭毓橘，從彭毓橘想到滿弟貞干，想到羅澤南，想到江忠源，他心旌搖動，情不能自已。墨汁磨好了又乾，乾了又磨，大半天，僅只寫得三百餘字。他乾脆擱筆，待過幾天心緒平靜下來再寫。略歇一會，他拿出前些日子寫好的那張條幅來。

這是寫給紀澤、紀鴻的。這幾個月來，他一直想著要給兩個兒子留下點永久性的東西。通常的父母都爲兒女留下金銀田地，曾國藩不以爲然。他對子弟們說，子孫賢，沒有先人的遺產也有飯吃；子孫不肖，再多的家業也會敗掉，而過多的錢財又恰好助長了紈袴習氣。也有的父母爲兒女留下幾件珍寶，平時作爲簪纓之族的象徵，急難時可以變賣換錢。曾國藩自己從未積蓄過珍寶，除那尊玉壽星外，他的幾件珍貴的物品，都是三朝皇帝所賞賜的衣料、佩飾，但他不願將它們送給紀澤、紀鴻，他已捐給家廟，作爲五兄弟的共同財產留給後世。

曾國藩認爲眞正的珍寶，還不是皇上的賜物，而是使子孫後代知道哪些是經過千百年來的考驗，證明是應當遵循的家教；子孫奉行這些家教，就可以成才成器，家族就可以長盛不衰。他認眞地思考了很長一段時間，終於把要對兒子所說的千言萬語歸納爲四條，並把它端端正正地寫下來，要兒子們懸掛於中堂，每天朗誦一遍，恪遵不易，並一代一代傳下去。現在，他把這四條又從頭至尾看了一遍，改了兩個字，自己覺得滿意了，於是鄭重其事地捲起來。

二月初四日，一大早曾國藩就醒過來了。這天是他一生中的悲痛日子之一。十五年前的二月初四日，他的父親去世了。今天，他像每年的這天一樣，早早地起來，想在父親的牌位面前磕三個頭，但病軀已不容許他下跪了，只得改成低頭默哀。站了一會，他也覺得難以支持，便匆匆結束祭奠儀式，叫人攙扶著來到簽押房。他先握起筆來，顫顫抖抖地記下昨天的日記，然後開始辦理公事。

桌上堆放著一大疊公文，正中擺著幾份等候接見的名刺。他把名刺拿過來，一一看了看。這些名刺中有路過江寧的朝廷欽差，有奉調離開兩江的高級官員，有專來江寧稟告公事的下級僚屬，也有純來見見面聊聊天的舊雨新知。因爲精神不佳，那些純粹的官場應酬、毫無目的的閑聊，他一概婉謝，談正事的也只得向後推幾天。

打開公文卷，隨手批了幾份後，看見了江南機器製造總局報來的關於擴建鐵廠的稟報，他對此很感興趣。閱完全文後，立即批了四個字：「同意所請。」他想：這是件很大的事，還應該向朝廷奏報才是，遂又添了幾個字：「等候皇太后、皇上諭旨。」

這時巡捕進來，抱著一大叠信，向曾國藩稟告這些信是誰寄來的，來自何方。

「大人，這封是容閎從廣東香山寄來的。」

「快打開，念給我聽。」一聽說是容閎的，曾國藩頓生精神。

巡捕念著念著，曾國藩笑容漸露。容閎信上說，他已物色了近百名十五六歲的幼童，都資質聰穎，心地純正，出身清白之家，擬通過考核後，從中錄取四十名，作爲第一批派出者；已和美國朋友商定好了，這批幼童都到美國去，大部分學天文、算學、製造之術，少部分專攻歐美醫學、法律。容閎滿懷信心地說，他們都將會成爲大清國中興的棟樑之材。他還特爲提到一個名叫詹天佑的少年，稱讚這孩子是個天資非凡的英才。

曾國藩對容閎籌辦的這一切十分滿意。他微閉雙目，浮想連翩。眼前彷彿出現汪洋大海，一艘大輪船上，容閎帶著四十名天真活潑的幼童，站在甲板上，向他揮手告別。水波晃蕩，海輪越駛越遠。另一艘從天邊開過來，漸漸靠近，容閎回來了，四十名幼童都已長大成人，胸前佩戴著光彩奪目的各色勛章。曾國藩的眼角眉梢都洋溢著笑意。

「甲三，扶我到西花園去看看斑竹。」早起祭奠父親時的哀戚已經過去，徐圖自强的美夢帶給他以喜悅，見紀澤進來，他才發現大腿有點發脹，想到戶外去走動走動。

天空堆積著烏雲，雖是午後，却如同黃昏。江寧的仲春，氣候通常還是冷的，今天更顯得有點寒氣逼人。

「父親，外面冷，我扶著您老到花廳裏走走吧！」紀澤勸阻道。

「好幾天沒有到竹林去了，想看看，你給我件披風吧！」

曾紀澤找了件舊披風披在父親的肩上，攙扶著他踱出簽押房，向西花園走去。冷風吹在臉上，曾國藩不覺得冷，反倒感到一絲濕潤。「畢竟是春天的風，到底和冬天不一樣。」他心裏想。

「甲三，下個月你還是回戶部去當差。」

「是。」兒子答應著。前年，曾紀澤以蔭生資格應考，被取中分發戶部陝西司，不久又升爲員外郞，年前因父親舊病加劇，特地由京師來江寧省視。

「京官清閑，若不思上進，最是容易混。有無出息，全看各人了。英文還常溫習嗎？」

「每天都堅持讀一個時辰的英文書，讀書報已不感到吃力了，只是說話不甚流暢。」曾紀澤兄弟跟著英國教師亞爾泰學英文已有三四年了，進步不算慢。

「科一前幾年愛讀兵書。我對他說，打仗是件最害人的事，造孽，我曾家後世再也不要出帶兵打仗的人了。從那以後，他不讀兵書了。近來又迷上祖冲之的圓周推算，弄得茶飯不思。學術數是好事，有實用，只是他體質不好，你要勸勸他，不要太用功了。」

「他前天很得意地對我說，他已推到小數點後一百位，大大超過了祖冲之。」

「眞的嗎？」曾國藩笑起來了，「只怕是半途上出了差錯，往後的都是白算了。」

「我也這樣笑過他。他說絕對不會錯，並自吹走到洋人前面去了。」

曾國藩很覺安慰。兩個兒子雖說不上是治國大才，也還算克家之子。有子如此，應該知足了。

「元七今年七歲了吧！」元七是曾紀鴻的兒子廣鈞的乳名，曾國藩最喜歡這個長孫。「這孩子很聰明，今後或許有出息。你這個做大伯的，還要多點撥指引。元十也長得清秀，現在不哭鬧了吧！」

元十就是兩個多月前過繼給紀澤的廣銓。他剛離開母親時，對大伯媽認生，成天哭喊。

「現在好些了。」紀澤回答。

「慢慢就親了。」曾國藩說，「我看那孩子是個福氣相，今後會帶出一路弟弟來的。」

對於盼子成疾的曾紀澤來說，這是一句極好的寬慰話。

父子倆這樣談著家常，不知不覺竹林就在眼前了。忽然，一陣大風吹來，曾國藩叫聲「脚疏」，便身子一傾，歪倒在兒子的身上。紀澤忙扶著，看看父親時，不覺驚呆了：只見他張開著嘴，右手僵持在半空，已不能說話了。曾紀澤急得大叫：「來人啦！」

正在竹林裏鋤草的僕役聞訊趕來，忙著把曾國藩背進大廳。紀澤一面叫人趕快去請醫生，一面吩咐鋪床褥。過不多久，曾國藩醒過來了，嘴唇也已自然地閉好，只是不能再說話。他搖了搖手，指著大廳正中的太師椅。紀澤明白，讓僕役把父親背到椅子邊，扶著他慢慢坐好。這時，歐陽夫人、曾國荃父子、紀鴻夫婦、紀琛、紀純、紀芬姊妹都已慌慌張張地趕來，大廳裏擠滿了人。一會兒，歐陽兆熊也進了府，蹲在曾國藩身邊，給他探脈診視，又扎了幾針。見仍不能開口說話，歐陽心裏慌了，忙把曾國荃叫到一旁，悄悄地說：「老中堂病勢危險，你把孫輩全部喊過來。」

曾國荃知道大事不妙，趕緊要侄媳婦各自帶兒子上來，自己走到大哥面前，握著他的雙手。那手已冰涼透骨了。

很快，郭氏一手牽廣鈞，一手牽廣鎔，女僕抱著女兒廣珊，劉氏抱著廣銓上來，一家人團團圍在曾國藩的身邊。歐陽夫人和三個女兒早已泣不成聲了。曾國藩勉强抬起頭來，將衆人都望了一眼，又無力地垂下了頭。良久，他將右手從九弟的雙手中死勁掙出，對著簽押房指了指，大家都不明白他指的什麼。歐陽兆熊說：「老中堂不能說話，心裏又著急，不如把他老人家連椅子一起抬到簽押房去。」

歐陽夫人和曾國荃都認爲這個辦法好，於是大家簇擁著太師椅進了簽押房。椅子放正後，曾國藩又抬起手來，指了指案桌。曾紀鴻立即把案桌上的公文卷捧過來，曾國藩搖了一下頭。見不對，他又把那疊信搬過來，曾國藩又搖了一下頭。案桌上只剩下一卷紙了。曾紀澤過去，把這卷紙拿到父親面前，曾國藩點點頭。

曾紀澤打開一看，紙上赫然現出一行字來：諭紀澤紀鴻。他捧著不知怎麼辦才是，大家也都眼睜睜地看著。只見曾國藩又艱難地抬起手，指了指口。曾紀芬忙說：「大哥，爹叫你唸！」

室外早已陰雲密布，寒風怒號，時辰還只酉初，却好比已到半夜，簽押房裏亮起蠟燭。荊七見光線不足，又忙將洋油燈找來點燃，屋內光亮多了。曾紀澤雙手把紙展開，以顫抖的聲音唸道：

余通籍三十餘年，官至極品，而學業一無所成，德行一無可許，老大徒傷，不勝悚惶慚赧。今將永別，特立四條以教汝兄弟。

一曰愼獨則心安。自修之道，莫難於養心；養心之難，又在愼獨。能愼獨，則內省不疚，可以對天地質鬼神。人無一內愧之事，則天君泰然，此心常快足寬平，是人生第一自强之道，第一尋樂之方，守身之先務也。

二曰主敬則身强。內而專靜純一，外而整齊嚴肅，敬之工夫也；出門如見大賓，使民如承大祭，敬之氣象也；修己以安百姓，篤恭而天下平，敬之效驗也。聰明睿智，皆由此出。莊敬日强，安肆日偷。若人無衆寡，事無大小，一一恭敬，不敢懈慢，則身體之强健，又何疑乎？

三曰求仁則人悅。凡人之生，皆得天地之理以成性，得天地之氣以成形，我與民物，其大本乃同出一源。若但知私己而不知仁民愛物，是於大本一源之道已悖而失之矣。至於尊官厚祿，高居人上，則有拯民溺救民飢之責。讀書學古，粗知大義，即有覺後知覺後覺之責。孔門教人，莫大於求仁，而其最初者，莫要於欲立立人，欲達達人數語。立人達人之人，人有不悅而歸之者乎？

四曰習勞則神欽。人一日所著之衣所進之食，與日所行之事所用之力相稱，則旁人韙之，鬼神許之，以爲彼自食其力也。若農夫織婦終歲勤勞，以成數石之粟數尺之布，而富貴之家終歲逸樂，不營一業，而食必珍饈，衣必錦綉，酣豢高眠，一呼百諾，此天下最不平之事，鬼神所不許也，其能久乎？古之聖君賢相，蓋無時不以勤勞自勵。爲一身計，則必操習技藝，磨練筋骨，困知勉行，操心危慮，而後可以增智慧而長才識。爲天下計，則必己飢己溺，一夫不穫，引爲余辜。大禹、墨子皆極儉以奉身而極勤以救民。勤則壽，逸則夭，勤則有材而見用，逸則無勞而見棄，勤則博濟斯民而神祇欽仰，逸則無補於人而神鬼不歆。

此四條爲余數十年人世之得，汝兄弟記之行之，並傳之於子子孫孫，則余曾家可長盛不衰，代有人才。

簽押房乃至整個兩江督署沒有一絲聲響，都在靜靜地聆聽曾紀澤帶哭腔的朗讀。這一字一句如同藥湯般流進衆人的心田，辛辣苦甜，樣樣都有。待兒子唸完，曾國藩又努力把手伸起，指了指自己的胸口。紀澤紀鴻一齊說：「我們一定把父親的教導牢記在心！」

曾國藩的臉上露出一絲淺淺的笑意，頭一歪，倒在太師椅上，歐陽兆熊忙去扶時，脖頸已經僵硬了！

「老中堂!」

歐陽兆熊的一聲哭喊，把簽押房的人嚇得面如土色，大家彷彿被驚醒似地，一齊放聲大哭起來，森嚴的兩江總督衙門，立時被濃重的悲痛所浸透。

就在這時，漆黑的天空滾過一陣轟鳴，同治十一年的第一聲春雷在江寧城的頭頂炸開，緊接著便是一連串的電閃雷鳴。風刮得更大更起勁了，寒風裹著傾盆大雨嘩嘩直下。

這雨好怪!它濛濛的，黑黑的，像一塊廣闊無垠的黑布，將天地都包圍起來，使人分不出南北東西，辨不清房屋街衢。又像大風吹倒了玉皇爺的書案，將一硯墨汁傾洩宇宙，它要染黑潔白的石舫、矞皇的督署，汚壞雄麗的鍾山、秀媚的秦淮，它還要將活躍著萬千生靈的人世間塗抹得昏昏慘慘、悲悲戚戚。

這可怕的黑雨，無情地鞭撻著西花園的斑竹林。那些歷經千辛萬苦從君山來到江寧的珍稀，遭遇了意外的浩劫。它蒼翠的葉片被打落，修長的斜枝被扭折，灑滿帝子淚珠的主幹被連根拔出，七零八落地躺在地上呻吟，令人慘不忍睹。主人對它所寄予的無限希望，頃刻之間全部化爲泡影!督署大門口所懸掛的四盞大紅宮燈，被狂風吹得左右晃蕩，雖有屋簷爲它遮蓋，仍然抵抗不住暴雨的侵襲，飛濺的雨花點點滴滴地浸在綢絹上。先是貼在燈籠上的「恭賀新禧」四字一筆一畫地飄落，然後是紅綢艷絹一片片地被剝落，最後只剩下幾根嶙峋骨架，在風雨中顯得格外瘦弱、寒傖。

絢麗的憧憬打碎了，美好的氣象破壞了。

那黑雨似乎還不甘心，還不解恨，它刮得更猛烈了，時時夾著呼呼的聲音，變得格外的凶惡可怖。它像是要摧毀這座修復不久的衙門，動搖這根已成奄奄一息的國脈。萬物在悲號，人心在顫慄，撕心裂肺的哭喊聲，哀哀欲絕的抽泣聲，合著這罕見的黑雨驚雷，是如此的淒愴，如此的驚悸，如同天要裂潰，地要崩塌，如同山在發抖，水在嗚咽。它使人們猛然預感到，立國二百多年的大清王朝，將要和眼前這個鐵心保護它的人一道，墜入萬劫不復的陰曹地府！

（《黑雨》卷終　全書完）

曾國藩

MEMO

曾國藩

MEMO

國家預行編目

曾國藩黑雨／唐浩明著.--初版.--臺北縣中和市：
漢湘文化, 1993〔民 82〕
面；　公分.--（歷史經典；7-9）
ISBN　957-8753-16-0（平裝）
857.7　　　　　　82002749

歷史經典九

曾國藩黑雨・卷三（全書三卷——血祭、野焚、黑雨）

發 行 人／胡明威
作　　者／唐浩明
執行編輯／巫曉維
企劃印務／范揚松
行政秘書／余綺華　高姿伊
出 版 者／漢湘文化事業股份有限公司
台北縣中和市中山路二段三五〇號五樓
電話（02）22452239　傳真（02）22459154
E-mail:hanshian@mail.book4u.com.tw
郵撥帳號／1697754-9
户　　名／漢湘文化事業股份有限公司
電腦排版／陽明電腦排版公司
內文製版／俊昇印製事業股份有限公司
內文印刷／全力印刷有限公司
裝　　訂／吉翔裝訂印刷有限公司
電話（02）2962-7511
登 記 證／文聞・蔡兆誠・黃福雄・王玉楚律師
1993 年 9 月初版一刷　2001 年 8 月初版六刷
單本定價 160 元　套裝九本特價 1,250 元
本書透過中國湘普信息公司獲得國際中文繁體字版權

線上總代理◆華文網股份有限公司
網　　址◆http://www.book4u.com.tw
〔紙本書平台〕華文網網路書店
〔電子書平台〕Online Books 電子書中心　華文電子書中心
香港總經銷◆漢鴻圖書有限公司
香港九龍塘觀開源道 55 號開聯工業中心 A 座 1226
電話：002-852-2343-8466　傳真：002-852-2343-8440

總經銷
旭昇圖書有限公司
地址：台北縣中和市中山路二段 352 號 2F
電話：(02) 2245-1480　傳真 (02) 2245-1479

廣 告 回 信
北區郵政管理局登記證
北 台 字6571號
免 貼 郵 票

漢湘文化事業股份有限公司

地址：台北縣中和市中山路二段350號5F

電話：(02) 2245-2239

傳眞：(02) 2245-9154

姓名：________

性別：__男__女

生日：__年__月__日

電話：(　)________

傳眞：(　)________

地址：________________

請沿虛線剪下裝訂，謝謝！

讀者服務卡

謝謝您購買這本書。
爲加強對讀者的服務，請您詳細塡寫本卡名欄，寄回給我們（免貼郵票），您即可收到本公司的出版訊息。

您購買的書名/ ______________________________

購買地點/ __________________ 縣市 __________________ 書店

教育程度/□高中以下（含高中） □大專 □大學 □研究所（含以上）

職　　業/ __________________ 職位別/ __________________

您目前迫切需要哪方面的知識？ __________________

您覺得本書封面及內文美工設計/

□很好 □好 □差 □很差

您對書籍的寫作是否有興趣？

□沒有 □有（我們會盡快與您聯絡）

100字書評（請寫下您閱讀本書的心得及感想）

其他建議（請列出本書的錯別字，當另外致贈精美禮品）：

請沿虛線剪下後對折裝訂寄回，謝謝！

漢湘文化

閱讀新視界・生活新主張

漢湘文化

閱讀新視界・生活新主張

漢湘文化

閱讀新視界・生活新主張